COMO FAZER SEU FILHO TROCAR O NÃO PELO SIM

Jerry Wyckoff, Ph.D.,
e Barbara C. Unell

COMO FAZER SEU FILHO TROCAR O NÃO PELO SIM

SEXTANTE

tradução: Simone Lemberg
preparo de originais: Simone Intrator
revisão: Sônia Peçanha e Tereza da Rocha
projeto gráfico e diagramação: Marcia Raed
capa: Miriam Lerner
pré-impressão: ô de casa
impressão e acabamento: Cromosete Gráfica e Editora Ltda.

CIP-BRASIL. CATALOGAÇÃO-NA-FONTE
SINDICATO NACIONAL DOS EDITORES DE LIVROS, RJ

W973c

Wyckoff, Jerry, 1935-
Como fazer seu filho trocar o não pelo sim / Jerry Wyckoff e Barbara C. Unell ; tradução de Simone Lemberg Reisner. – Rio de Janeiro: Sextante, 2007.

Tradução de: Getting your child from no to yes
Apêndice
ISBN 978-85-7542-300-4

1. Pré-escolares. 2. Cooperação nas crianças. 3. Disciplina da criança. 4. Pais e filhos. I. Unell, Barbara C., 1951-. II. Título.

07-1724. CDD: 649.61
CDU: 649.1

GMT Editores Ltda.
Rua Voluntários da Pátria, 45 – Gr. 1.404 – Botafogo
22270-000 – Rio de Janeiro – RJ
Tel.: (21) 2286-9944 – Fax: (21) 2286-9244
E-mail: atendimento@esextante.com.br
www.sextante.com.br

Para Millie Wyckroff e Robert Unell, por seu amor,
compreensão e sensibilidade, inspirando nossa alegria,
humor, confiança, segurança e felicidade, e por trazerem
significado e propósito a cada dia de nossas vidas.

Sumário

Prefácio 11

Introdução 13

PRIMEIRA PARTE

COMER

1. "Não quero comer!" 22
2. "Eu quero sair da mesa!" "Não quero usar garfo nem colher!" 25

SEGUNDA PARTE

DORMIR

3. "Não quero dormir!" 30
4. "Não quero tirar uma soneca!" 32
5. "Não quero trocar o berço por uma cama grande!" 34
6. "Não quero dormir na minha cama!" 37

TERCEIRA PARTE

CRESCER

7. "Eu quero o meu paninho!" "Eu quero a minha chupeta!" 42
8. "Não quero dar o meu quarto para o bebê!" 45
9. "Não quero ficar com a babá!" 49
10. "Não quero ajudar!" 51
11. "Não vou ficar de castigo!" 54
12. "Eu quero ficar no seu colo!" 57
13. "Eu quero chupar o dedo!" 59
14. "Não quero ir ao banheiro!" 61
15. "Não quero que você leia para mim!" 64

QUARTA PARTE

SAÚDE

16. "Não quero ir ao médico!" 68
17. "Não quero tomar remédio!" 71
18. "Não quero tomar injeção!" 74
19. "Não quero passar protetor solar!" 77
20. "Não quero usar óculos!" 79

QUINTA PARTE

ROTINAS DE LIMPEZA

21. "Não quero tomar banho!" "Não vou sair da banheira!" 82
22. "Não quero escovar os dentes!" 85
23. "Não quero cortar o cabelo!" 87
24. "Não quero trocar a fralda!" 89
25. "Não quero lavar as mãos!" 92
26. "Não quero cortar as unhas!" 94
27. "Não quero lavar o cabelo!" 96
28. "Não quero assoar o nariz!" 98
29. "Não quero pentear o cabelo!" 100

SEXTA PARTE

SAIR DE CASA

30. "Não quero ir embora agora!" 104
31. "Não quero entrar no carro!" "Não quero sair do carro!" 108
32. "Não quero sentar na cadeirinha do carro!" 113
33. "Não quero viajar de avião!" 116
34. "Não quero dar a mão!" 120
35. "Não quero ir para a escola!" 123
36. "Não quero ir para a aula de natação!" (ou futebol, inglês, piano, etc.) 127
37. "Não quero ir para a casa do papai!" 133
38. "Não quero visitar a vovó!" 136

SÉTIMA PARTE

VESTIR-SE

39. "Não quero trocar de roupa!" 140
40. "Não quero me vestir agora!" 143
41. "Não quero calçar os sapatos!" 146
42. "Não quero vestir essa roupa horrorosa!" 148

OITAVA PARTE

BRINCADEIRAS

43. "Não quero arrumar os meus brinquedos!" 154
44. "Não quero desligar a televisão!" 157
45. "Não quero brincar sozinho!" 160
46. "Não vou parar de brincar com meu videogame!" 164
47. "Não quero brincar sem fazer barulho!" 167
48. "Não quero emprestar!" 170

NONA PARTE

BOAS MANEIRAS

49. "Eu vou mudar de canal! Não quero ver isso que meu irmão está assistindo!" 174
50. "Não vou dizer 'obrigado'!" 177
51. "Não vou falar baixo!" 180
52. "Não quero falar com o papai no telefone!" 184

APÊNDICE

Aspectos do desenvolvimento 188

Prefácio

Nos últimos 20 anos, viajamos pelos Estados Unidos ensinando as pessoas a disciplinar suas crianças sem gritos e palmadas, a desenvolver os dons inatos dos pequenos e a aprender a ser pais-professores. Durante todo esse tempo, milhares de pais, avós, professores e babás pediram que lhes oferecêssemos estratégias fáceis de adotar no dia-a-dia para motivar as crianças a cooperar.

Logo percebemos a necessidade deste livro no mundo contemporâneo, um lugar tão acelerado e repleto de preocupações em que todos se concentram profundamente na busca pela gratificação instantânea. Ao toque de um botão, mudamos de canal e recebemos as últimas notícias. Minutos de microondas e eis que estão prontos o café-da-manhã, o almoço ou o jantar. Com um pequeno clique, temos um novo jogo no computador ou montamos as tarefas do dia.

Não é surpresa alguma encontrarmos um número cada vez maior de pais que esperam obediência imediata dos filhos. E, quando as crianças não respondem instantaneamente, vemos os pais apelarem para reclamações, humilhações, chantagem emocional, suborno, ameaças, palmadas e outras formas de violência. Mesmo que elas acabem obedecendo, essas estratégias violam os desejos das crianças, gerando raiva e ressentimento. As crianças cooperam porque sentem *medo*, e não porque *desejam* cooperar.

Neste livro, apontamos estratégias nocivas – pais bem-intencionados irão compreender até que ponto elas podem ser prejudiciais. E apresentamos também estratégias positivas, que mostram aos pais como motivar seus filhos a cooperar e ensinam as crianças a trabalhar em equipe, a tolerar frustrações, a tomar decisões responsáveis e a não ter expectativas de recompensa imediata. Essas estratégias ajudarão a construir relacionamentos positivos entre pais e filhos, baseados na confiança e no amor incondicional.

Pesquisas recentes indicam que os pais enfrentam centenas de vezes por dia a dificuldade de motivar seus filhos a cooperar! Cada uma das situações apresentadas é um convite aos pais para que estruturem sua paciência, sua empatia e sua capacidade de negociação, e desenvolvam essas mesmas habilidades em seus filhos. Os pais aprenderão ainda a identificar diferentes oportunidades para estimular nos pequenos a independência, para respeitar a necessidade dos filhos de controlar o seu mundo e para apreciar o milagre de vê-los transformarem-se de bebês em crianças. Sugerimos que você mantenha este livro sempre à mão. Nos momentos mais desafiadores da convivência, ele poderá ajudá-lo a optar por idéias, ações e palavras construtivas. Seu filho está ouvindo!

Cuidado com o que você diz; as crianças vão ouvir.
Cuidado com o que você faz; as crianças vão ouvir e aprender.
Elas podem não obedecer, mas vão ouvir.
Olharão para você para saber que caminho seguir, para saber o que ser.
Cuidado antes de dizer "ouça o que digo"; as crianças vão ouvir!

– *Children will listen* (*As crianças vão ouvir*),
de Stephen Sondheim, do musical *Into the Woods*

Introdução

Você terá em mãos a chave para ajudar seu filho a cooperar se tiver sempre em mente uma importante equação: habilidade + motivação = desempenho. Os seres humanos de todas as idades devem não apenas ser física e intelectualmente *capazes* de fazer o que lhes é pedido, como também ter *vontade* de fazê-lo. Por exemplo, para que seu filho o atenda quando você quiser que ele ponha a roupa, é preciso, primeiro, que ele saiba como colocá-la e ainda que tenha uma boa razão (aos olhos dele!) para fazê-lo.

Sim, muitas vezes o que é importante para os pais pode não ser para os filhos. Você deseja que seu filho se vista para levá-lo à creche e, assim, chegar ao trabalho na hora certa. Mas a criança, sem noção de tempo, quer continuar brincando. Você tem duas tarefas: primeiro, determinar se seu filho é capaz de vestir-se sozinho; depois, dar a ele uma razão para que *queira* fazer isso.

Ensinar uma criança a cooperar demanda tempo e paciência, mas os benefícios duram a vida inteira. Praticando as estratégias positivas deste livro (e evitando as nocivas), você poderá construir uma relação afetuosa com seu filho, ensinando a ele o valor do trabalho em equipe e ajudando-o a desenvolver as capacidades de adiar gratificações e tolerar frustrações. Você será capaz também de ensinar seu filho, desde pequeno, a expressar os próprios sentimentos, entender os sentimentos daqueles que o rodeiam e tomar decisões responsáveis. Essas habilidades são aprendidas mais facilmente nesse estágio de desenvolvimento e são ensinadas com mais eficácia pelo primeiro e mais importante professor que seu filho pode ter: você.

Por que crianças pequenas dizem "não"

Crianças pequenas vivem num mundo voltado para seus próprios anseios e necessidades. Elas desejam fazer *o que* querem, *quando* querem. Comportam-se dessa maneira porque isso faz parte de seu desenvolvimento. Elas também apreciam a possibilidade de prever os acontecimentos. Dizem "não" para evitar o desconhecido ("Não quero entrar no avião!"), para evitar mudanças ("Não quero ir para outra escola!"), para evitar fracassos ("Não quero jogar futebol!") e para evitar a perda do controle ("Não quero dormir agora!").

Por outro lado, mesmo sem perceberem, os pais estimulam o comportamento não cooperativo, ignorando os filhos nos momentos em que eles ajudam e prestando uma enorme atenção quando "desobedecem". As crianças aprendem rapidamente que *não* cooperar é uma maneira fácil de conseguir a atenção dos pais. Ou, muitas vezes, não percebem que é importante cooperar, simplesmente porque suas necessidades são outras. Um bom exemplo disso é a falta de noção de tempo das crianças pequenas: "Por que meus pais correm tanto?", devem-se perguntar.

Cinco questões importantes

Antes de reagir de maneira negativa quando seu filho disser "não", faça a si mesmo essas cinco importantes perguntas:

Como eu me sentiria se eu fosse o meu filho? Refletir sobre qual seria o ponto de vista da criança é o primeiro passo na busca de caminhos para motivá-la a cooperar. Seu filho está cansado? Está se divertindo muito? Está assistindo ao programa de televisão de que mais gosta? Está com medo de algo? Uma vez que compreenda os planos *dele*, você poderá ajudá-lo a concretizar os seus.

O que o meu filho já é capaz de fazer? Suas expectativas são altas demais? Seu filho está psicologicamente habilitado a fazer o que você está lhe pedindo? Ele consegue ouvi-lo sem problemas? Está entendendo o que você diz? Lembre-se, cada criança é única e desenvolve-se num ritmo próprio. Consulte o médico se estiver preocupado com o desenvolvimento de seu filho.

Eu ensinei ao meu filho aquilo que estou pedindo que ele faça? Você já praticou cada passo para assegurar-se de que seu filho compreende o que deve fazer? Caso a resposta seja não, dedique um tempo para ensiná-lo a escovar os dentes, por exemplo, antes de pedir a ele que o faça. Talvez seja necessário praticar várias vezes antes que ele seja capaz de dominar essa habilidade. Paciência é o segredo!

Quantas ordens meu filho consegue cumprir? Se você pedir a seu filho que se vista, desligue a televisão e guarde os brinquedos, será que ele vai se lembrar de cumprir cada uma dessas tarefas? Ele consegue seguir suas ordens sem perder o foco? Teste a capacidade dele para seguir instruções. Quando a criança demonstrar que consegue cumprir uma única ordem, experimente dar-lhe duas e, depois, três.

Estou sendo um bom exemplo para o meu filho? Alguma vez seu filho já o viu escovando os dentes? Lavando as mãos? Usando o cinto de segurança? Lembre-se de que ele está sempre seguindo o seu exemplo. Pratique o que você ensina!

Maneiras ruins de motivar crianças

É normal que os pais se irritem quando seus filhos não cooperam. A irritação costuma levar a censuras ("Quantas vezes preciso lhe dizer isso?"), a rótulos ("Você é tão preguiçoso!"), a súplicas ("Faça isso pela mamãe!"), a culpas ("Não vá me atrasar outra vez!") ou a humilhações ("Estou tão decepcionado com você!"). Quando essas estratégias não funcionam, os pais muitas vezes apelam para o suborno ("Se você calçar os sapatos, ganha uma bala!") ou, como último recurso, para ameaças ("Se não calçar os sapatos, vai levar uma surra!").

Essas técnicas podem parecer justificáveis quando os pais dizem a si mesmos que a falta de cooperação da criança é uma atitude de desafio. Eles podem temer que seus filhos nunca venham a ouvi-los, nunca sejam capazes de se relacionar bem com os outros e nunca aprendam a cumprir ordens na escola. Seus próprios pais podem ter usado repreensões, subornos ou ameaças para enfrentar suas desobediências. Essas reações acabam sendo um pouco "herdadas": surgem naturalmente diante de uma criança que se recusa a cooperar. Os pais também podem ficar zangados ou constrangidos com os filhos por fazerem com que pareçam maus "disciplinadores".

Esse raciocínio começa com a ameaçadora percepção por parte dos pais de que não têm controle sobre o comportamento dos filhos. Eles dizem a si mesmos que *precisam* disciplinar as crianças ou sofrerão as mais terríveis conseqüências. Para início de conversa, se os pais ficam zangados, é sinal de que algo está errado. Talvez seja preciso raciocinarem mais, como sinalizam pesquisas feitas no mundo todo: o pensamento racional é capaz de evitar respostas irracionais aos "perigos" que os pais percebem no comportamento dos filhos. Acreditar, por exemplo, que um filho é insolente pode levar os pais a culpá-lo, humilhá-lo, rotulá-lo ou puni-lo, na tentativa de controlar o problema. Por outro lado, dizer a si mesmo que o comportamento da criança está de acordo com o seu estágio de desenvolvimento leva os pais a ver na situação uma boa oportunidade para aprender. Isso lhes dá a chance de trabalhar *com* o filho, e não contra ele.

Nada de positivo resulta da postura de espezinhar, subornar ou ameaçar uma criança. Ela pode acabar fazendo o que lhe pedem por sentir medo, culpa ou vergonha, mas não vai desenvolver as habilidades necessárias para relacionar-se no mundo como um ser humano responsável, auto-suficiente e respeitoso; vai aprender justamente o oposto: como intimidar os outros para conseguir o que deseja.

Maneiras saudáveis de motivar os filhos

As crianças precisam de um ambiente amoroso para crescerem bem, saudáveis e dispostas a cooperar. Para isso, é necessário que os pais desenvolvam a própria empatia, dispondo-se a ensinar e trabalhando com os filhos para que sigam as regras estabelecidas. As crianças aprendem a ter consideração pelos outros quando sentem que são tratadas com consideração; elas aprendem a respeitar os outros quando são respeitadas. Os pais constroem a confiança dos filhos ajudando-os a tomar decisões, seguir regras e aceitar as conseqüências de suas escolhas. As técnicas descritas a seguir ajudarão os pais a ter mais paciência e autocontrole ao lidar com o desafio diário de motivar os filhos a trocar o "não" pelo "sim".

Demonstre empatia: Mostre a seu filho que você compreende as preocupações que ele tem. Isso significa ter respeito pelas opiniões dele, o que, por sua vez, irá motivá-lo a cooperar. Todos estarão jogando no mesmo time. Se você, repetidamente, ralhar com ele, criticá-lo, reclamar, culpá-lo, humilhá-lo, rotulá-lo ou chantageá-lo emocionalmente, ele vai se distanciar e aprenderá a usar essas táticas nocivas no relacionamento com outras pessoas.

Faça um acordo usando a regra-batizada-por-vocês: A premissa desta regra é: "Quando você tiver feito o que lhe foi pedido, estará livre para fazer o que quiser." Para ficar mais divertido, invente com o seu filho um nome para ela (nos Estados Unidos, é conhecida como Regra da Vovó, mas você pode dar a ela o nome de um personagem que seu filho adore, por exemplo). Essa solução pacífica para os conflitos entre pais e filhos ensina à criança o valor de cumprir as responsabilidades antes de fazer o que deseja, além de oferecer a ela a chance de praticar a capacidade de adiar gratificações e tolerar frustrações. E ainda ajuda seu filho a desenvolver uma motivação interior para terminar o que lhe foi pedido antes de poder divertir-se. Mas o maior benefício dessa regra é ensinar a criança a adotar uma abordagem de negociação em que todos saem ganhando.

É bem diferente do suborno, cuja mensagem é "Se você fizer o que estou pedindo, eu lhe darei um prêmio especial". Isso ensina a criança a esperar por um pagamento palpável antes de se dispor a cooperar. Se ela aprender que a cooperação pode ser comprada e vendida no mercado, sua motivação será sempre externa e totalmente dependente do pagamento.

Ensine oferecendo escolhas: Quando você oferece escolhas a seu filho, ele pratica a habilidade de tomar decisões. Se diz "Você pode brincar direito com sua irmã ou brincar sozinho. A escolha é sua", pode motivá-lo a brincar com a irmã sem brigar para permanecer na companhia dela (algo que ele deseja fazer).

Por outro lado, intimidar seu filho com ameaças de castigo quando ele não obedece ensina que não há escolhas em determinada questão. Sem poder emitir opinião sobre o que está acontecendo, o ressentimento e a relutância dele em cooperar *aumentam* – ao contrário do que você deseja. Ameaças levam ao medo, e o medo motiva seu filho a fugir ou a rebelar-se, em vez de cooperar.

As ameaças também colocam você numa difícil situação. Se seu filho não obedece, é necessário aplicar uma punição nociva a ele e ao relacionamento de vocês dois, caso contrário sua credibilidade será destruída. Quando uma criança descobre que a ameaça dos pais é vazia, passa a não acreditar mais na intenção deles de fazer o que dizem. O medo da punição será substituído pelo medo de que as coisas não sejam o que parecem. O melhor é evitar ameaças.

Utilizando este livro

Cada capítulo deste livro foi planejado de modo a ajudar você a alcançar tanto os seus objetivos de curto prazo – levar seu filho a fazer o que você lhe pede – como os de longo prazo – ensinar a criança a lidar com frustrações, a esperar pela gratificação e a trabalhar em equipe.

Os títulos dos capítulos refletem as reações mais comuns das crianças pequenas aos pedidos corriqueiros dos pais. Depois, há uma breve visão geral das circunstâncias psicológicas e de desenvolvimento que envolvem a situação apresentada.

A seção denominada "Dicas úteis" traz idéias práticas que estimulam a cooperação e aumentam as suas chances de motivar seu filho com sucesso para que ele ouça com atenção, siga as instruções que lhe foram dadas e faça o que você pedir.

A seção "Autoconversação" inclui as palavras que você diz a si mesmo (ou pensa) e que determinam a sua atitude em relação aos acontecimentos. É aquela voz interior que pode rotular um acontecimento como um problema insuperável (quando a carinha está triste – ☹) ou transformá-lo numa oportunidade de ajudar seu filho a aprender uma habilidade importante (carinha feliz – ☺). Todos os acontecimentos são neutros: você é que os torna positivos ou negativos de acordo com o que pensa sobre eles.

É importante refletir *primeiro* sobre a sua atitude em relação ao comportamento do seu filho, pois ela influencia a sua reação. Por exemplo, quando você encara a recusa da criança em cooperar como um ato de desafio, sua tendência é reagir negativamente. Quando vê nessa mesma resistência uma oportunidade para educá-lo, a tendência é reagir com sensatez e responsabilidade.

A seção "Conversando com seu filho" trata da questão do que dizer à criança para motivá-la a cooperar. Como na "Autoconversação", que usa os símbolos das carinhas triste e feliz, é importante estar atento ao que *não* deve ser dito – e por quê –, assim como àquilo que se deve dizer. Em vez de gerar medo, culpa ou humilhação, nós encorajamos os pais a usar palavras que despertam respeito, empatia, bondade e amor incondicional.

PRIMEIRA PARTE

COMER

Acredito que a segunda melhor estratégia para resolver
um problema é descobrir algum humor nele.
Frank Clark

CAPÍTULO 1

"Não quero comer!"

A hora das refeições pode ser muito estressante quando os planos de uma criança pequena colidem com os de seus pais. Não permita que os hábitos alimentares de seu filho se transformem numa disputa de poder. Lembre-se de que crianças saudáveis comem quando estão com fome e param de comer quando estão satisfeitas. Se você estiver preocupado com a qualidade ou a quantidade dos alimentos consumidos pelo seu filho, mantenha um diário durante algumas semanas (anotando quando, onde e o que ele comeu). Essas informações vão ajudar a avaliar a situação.

Dicas úteis

- 👍 Não tente forçar a criança a comer uma enorme refeição quando ela não está com fome, principalmente se acabou de ingerir alguma coisa.
- 👍 É normal que crianças sejam menos cooperativas quando estão com fome ou cansadas. Leve em consideração a possibilidade de seu filho estar mal-humorado quando não quiser comer o que lhe foi servido.
- 👍 Tenha em mente as recomendações para uma boa nutrição das crianças pequenas. Seu pediatra pode lhe fornecer o cardápio mais adequado e indicar livros que tratem do tema.

Autoconversação

☹ "Se ela não comer, vai ficar doente."

Não exagere: a recusa ocasional da criança não vai deixá-la doente. Se preocupe, realmente, se a criança parar de comer ou mudar os hábitos alimentares de maneira drástica. Nesse caso, consulte o pediatra.

☺ "Meu filho não vai morrer de fome se pular uma refeição de vez em quando ou se não comer sempre as verduras."

Recusar comida ocasionalmente não vai afetar a saúde geral da criança. Quando você relaxar em relação aos hábitos alimentares do seu filho, poderá pensar numa maneira criativa de motivá-lo a comer – até mesmo os "rejeitados" jiló, quiabo & cia, se preciso for.

☹ "Sinto uma enorme rejeição quando o meu filho não come o que eu preparo."

Desarme de uma vez por todas essa antiga bomba que ameaça os pais. Levar para o lado pessoal o comportamento dos filhos não ajuda a resolver os problemas.

☺ "O fato de meu filho recusar-se a comer não tem nada a ver comigo."

Seu filho está rejeitando o alimento, e não você. Separar as duas coisas é essencial para ajudar a criança a estabelecer uma atitude saudável em relação à comida.

Conversando com seu filho

Não faça exigências. Não diga: **"Você vai ficar sentado aqui até comer tudo o que está no seu prato."**

Forçar a criança a comer depois de ela estar satisfeita pode levar a problemas de excesso de peso no futuro. Como em outros aspectos do comportamento infantil, tentar controlar os hábitos alimentares dos pequenos é uma atitude inútil e contraproducente.

Ofereça escolhas. Diga: **"Estou vendo que você já comeu o suficiente. Você pode sair da mesa para brincar ou pode ficar sentado aqui e conversar enquanto terminamos."**

Quando seu filho começar a brincar com a comida, provavelmente já ingeriu o bastante. Retirar o prato dele ou permitir que ele saia da mesa vai evitar uma situação com chance de acabar em briga. Para mantê-lo à mesa, você pode inventar uma brincadeira, como "Dia legal": a criança conta uma história sobre algo engraçado ou divertido que tenha acontecido naquele dia com ela e também vai se divertir ouvindo outros relatos.

Não use a culpa. Não diga: **"Você sabe que a mamãe trabalhou muito para fazer essa comida. Por favor, coma o que mamãe preparou para você."**
Associar o alimento ao amor é um caminho que leva a desordens alimentares. Não estimule seu filho a pensar: "Se eu não comer a comida da mamãe, ela vai achar que não a amo."
Incentive a comunicação. Diga: **"Quando você tiver acabado de comer, diga 'acabei'. Então eu vou ajudá-lo a sair da mesa."**
Estimular a criança a dizer quando está satisfeita permite que ela exerça o controle sobre o seu mundo.

Não intimide. Não diga: **"É uma pena que você não esteja gostando da comida. Você pode comer ou sair da mesa. Se sair, não quero ouvir reclamações de que está com fome, pois não vou lhe dar mais nada para comer."**
A sua falta de empatia demonstra que você não se importa com os sentimentos da criança, o que só vai aumentar a raiva e a postura de desafio por parte dela.
Use a empatia. Diga: **"Sinto muito que você não queira comer o que temos hoje. De vez em quando o nosso gosto muda, portanto peço que você prove um pouco disso para ver se agora já gosta."**
Demonstrar empatia com a criança vai encorajá-la a experimentar algum tipo de alimento que já tenha rejeitado antes. Essa atitude também vai ajudá-la a experimentar novidades que poderiam ser rejeitadas à primeira vista.

CAPÍTULO 2

"Eu quero sair da mesa!" "Não quero usar garfo nem colher!"

O pedido para sair da mesa é um clássico em todas as famílias. Quando está satisfeito, seu filho de 4 anos não tem mais interesse em permanecer ali, e acha que já está na hora de ir brincar em outro lugar. Seja realista em relação ao tempo que você pode esperar que uma criança fique sentada à mesa conversando – e quanto tempo isso representa para um pequenino cuja capacidade de manter a atenção é muito menor que a sua. Comer com os dedos ou limpar-se na blusa, em vez de usar o guardanapo, também são cenas comuns na hora das refeições. Seja um exemplo do comportamento aceitável às refeições e estimule seus filhos a imitá-lo!

Dicas úteis

- Desligue a televisão e o computador durante as refeições para que a criança possa se concentrar na comida.
- Use um relógio (se preferir, com alarme) para dizer ao seu filho quando ele pode sair da mesa.
- Experimente fazer o maior número possível de refeições sentado à mesa para que seu filho se acostume a essa situação.
- Estabeleça regras sobre boas maneiras e elogie a criança por segui-las.
- Evite servir com freqüência alimentos que sejam comidos com as mãos (como sanduíches, batatas fritas e pizza), para que a criança tenha a oportunidade de treinar bastante o uso do garfo e da colher.

Autoconversação

☹ "Os gritos do meu filho para sair da mesa estão arruinando o jantar do resto da família."

Dizer a si mesmo que não consegue lidar com o barulho causado por uma criança não ensina seu filho a ter momentos agradáveis durante as refeições em família. Lembre-se: todos os eventos são neutros; o jantar estará "arruinado" somente se você optar por enxergá-lo dessa maneira.

☺ "Embora eu esteja cansado depois de um longo dia de trabalho, sentar-me à mesa para uma refeição em família é importante."

Reafirme quanto as refeições em família são importantes para o desenvolvimento da criança. Mesmo que a hora do jantar seja barulhenta, confusa e desordenada, e você preferisse ter um pouco de calma depois de um dia frenético de trabalho. Esse momento é essencial para o fortalecimento dos laços familiares.

☹ "Meu filho não gosta da minha companhia à mesa."

Não leve para o lado pessoal o desejo de seu filho de sair da mesa. Lembre-se de que o mais importante para ele é brincar e não ficar quieto, sentado no meio de adultos.

☺ "Conversar com meu filho durante as refeições é importante, mesmo que seja apenas por alguns minutos."

Meça o tempo à mesa em termos de qualidade e não de quantidade! O que vale é a quantidade de alegria e amor que vocês compartilham ali.

☹ "Ela nunca vai aprender a usar um garfo, é melhor eu desistir."

Não assuma uma postura de desesperança e desamparo. Essa atitude só vai deixar você aborrecido toda vez que lembrar à criança de seguir a regra.

☺ "Preciso me manter calmo e continuar insistindo."

A motivação da criança para aprender aumentará quando ela sentir que você a respeita mesmo quando suas maneiras não são perfeitas.

☹ "O pai dela não incentiva as boas maneiras na casa dele, por isso ela é tão malcomportada na minha casa. Isso me deixa maluca."
Não responsabilize os outros por seus sentimentos. Só você pode decidir como vai reagir.
☺ "Só posso estimular boas maneiras na minha casa."
Concentre-se no que a criança faz na sua casa para ter maior controle da situação.

☹ "Odeio a confusão que minha filha faz quando come."
Crianças pequenas são bagunceiras e limpar os restos faz parte das tarefas dos pais. Aceitar uma bagunça ocasional vai manter o seu nível de estresse bem baixo e vai ajudar você a ensinar à criança bons hábitos à mesa.
☺ "Eu não preciso me sentir culpado porque minha filha ainda não tem boas maneiras à mesa."
Crianças não nascem com boas maneiras; o processo de aprendizado demanda tempo e paciência.

Conversando com seu filho

Não ameace. Não diga: **"Se você não ficar à mesa, terá de ir para a cama. Você não está querendo isso, está?"**
Ameaças de isolamento por querer sair da mesa para brincar não vão ensinar uma criança a ter prazer nas refeições em família. Além disso, essa atitude associa a cama ao castigo. E pode também ser encarada como um desafio pela criança: "E seu eu não ficar à mesa? Meus pais vão cumprir o castigo?" Espere que a criança obedeça à regra, sabendo que você está ao lado dela. Seja o técnico e não o ditador da vida de seu filho.
Elogie o comportamento cooperativo. Diga: **"Obrigado por sentar-se tão bem à mesa. Nós adoramos a sua companhia."**
Todo mundo gosta de ser admirado. Elogiar a paciência de seu filho, por mais fugaz que ela seja, vai estimulá-lo a ser ainda mais paciente na próxima vez.

Não suborne. Não diga: **"Se você ficar à mesa um pouco mais, vou lhe dar um sorvete."**

Receber uma gratificação por fazer o que foi pedido ensina à criança que a cooperação vem acompanhada de um prêmio.

Relembre a regra. Diga: **"Eu sei que você quer sair da mesa, mas a regra diz que você só pode se levantar quando o alarme do relógio tocar."**

Mostrar empatia e encorajamento enquanto invoca a regra vai tornar a criança mais flexível. Ela entenderá que as regras nos ajudam a administrar nossas vidas.

Não reclame. Não diga: **"Quantas vezes vou ter de lhe dizer para não comer com as mãos?"**

Recriminações constantes sugerem que a criança tem algum tipo de deficiência mental e dizem a ela o que *não* fazer, em vez de mostrar o que deve ser feito. Enfoque o positivo para estimular o comportamento que você deseja.

Dê o seu apoio. Diga: **"Eu sei que segurar o garfo é difícil. Você se lembra de como se segura um lápis? É assim que se segura um garfo. Vamos tentar outra vez?"**

Ensinar com gentileza ajuda a criança a dominar as habilidades mais difíceis e dá um exemplo de paciência.

Não humilhe. Não diga: **"Que porcaria esse pedaço de comida no seu queixo. Nem quero olhar."**

Não sugira que a criança só é aceitável quando faz o que você lhe pede. Essa atitude envia a mensagem de que o seu amor é condicional.

Elogie o comportamento cooperativo. Diga: **"Obrigado por se lembrar de usar o guardanapo. Isso mostra que você tem boas maneiras."**

Ao receber elogios, a criança, estimulada, percebe a importância do seu comportamento. Todo ser humano se sente motivado a cooperar quando sua atitude é valorizada.

SEGUNDA PARTE

DORMIR

Há sempre um momento para
agradecimentos e novos recomeços.

J. Robert Moskin

CAPÍTULO 3

"Não quero dormir!"

Preparar-se para dormir só passa a ser agradável quando não é uma obrigação. Mantenha uma rotina antes de a criança ir para a cama e assegure-se de que o pijama ou a camisola são confortáveis. Crianças precisam de rotina e consistência para se desenvolver.

Dicas úteis

- Estabeleça uma regra que determine a hora de seu filho pôr o pijama. Avise que a hora está chegando alguns minutos antes.
- Acompanhe pelo relógio cada passo da rotina noturna.
- Dedique-se a atividades mais calmas à medida que a hora de dormir for se aproximando (ler histórias, fazer uma massagem nas costas, fazer as orações, etc.)
- Algumas roupas são usadas apenas para dormir. Vesti-las é uma maneira de lembrar à criança que a hora de se deitar está chegando.

Autoconversação

☹ "Estou exausto hoje e não estou com a mínima paciência para problemas na hora de dormir."

Não permita que o pessimismo destrua a sua capacidade de vencer o cansaço. Se disser que não é capaz de fazer algo, não sairá mesmo do lugar.

☺ "Sou capaz de lidar com o problema, mesmo cansado."

Reafirmar a própria capacidade de lidar com um problema dá a você a energia necessária para conseguir a cooperação da criança. A autoconversação positiva é contagiosa.

☹ "Se ele não dormir às oito horas, minha noite estará arruinada."

Essa atitude não apenas coloca uma pressão enorme sobre você e seu filho, como cria um objetivo irrealista. *Você* decide se sua noite está "arruinada", e não a criança.

☺ "Eu compreendo que minha filha não queira que a excitação do dia termine."

Compreender a perspectiva da criança ajuda você a sentir empatia com os desejos dela, mesmo que estejam em desacordo com os seus. Essa atitude estimula a cooperação.

Conversando com seu filho

Não ameace. Não diga: **"É melhor vestir o pijama antes que eu lhe dê uma palmada!"**

Ameaçar machucar a criança ensina que a violência pode ajudar a se conseguir o desejado. Não dê exemplo desse comportamento.

Pergunte a opinião da criança. Diga: **"Do que você não gosta na hora de pôr o pijama?"**

Pedir à criança que divida com você o que está sentindo demonstra a sua preocupação com ela. Deixe para resolver o problema depois.

Não use o medo. Não diga: **"Tive um dia horrível hoje, não me provoque. Entre no quarto e vista o seu pijama."**

Não diga a uma criança que cabe a ela monitorar o humor dos pais para evitar confrontos. Você não deve permitir que um dia difícil no escritório altere o seu comportamento com seu filho.

Relembre a regra. Diga: **"Eu compreendo que você não queira pôr o pijama, mas a regra diz que ele deve ser vestido às sete horas."**

Todos nós vivemos de acordo com regras. Ensine a seu filho que seguir regras é um modo de conduzir a vida. Apelar para elas faz com que você possa estar ao lado da criança em momentos de discussões.

CAPÍTULO 4

"Não quero tirar uma soneca!"

Os protestos de um menino de 3 anos na hora de tirar uma soneca tornam-se ainda mais veementes quando ele está exausto. Ele pode estar reclamando de uma injustiça visível: você está fazendo alguma coisa, por que ele não pode fazer? Deixe que seu filho saiba que a hora da soneca é um momento de silêncio também para você. Saber que você vai descansar pode ajudá-lo a fazer o mesmo.

Dicas úteis

- Crie uma rotina para a hora da soneca e siga-a sistematicamente.
- Estabeleça regras sobre a hora da soneca ou de descanso e determine o tempo mínimo para o repouso.
- Escolha atividades sossegadas para fazer antes da hora da soneca.

Autoconversação

☹ "Estou cansado demais para ter paciência com meu filho. Ele vai ter de entender isso."

Não use a exaustão como desculpa para ser rude. Essa atitude ensina a equivocada lição de que o respeito pelos outros é condicional.

☺ "Nós dois estamos cansados, mas isso não é desculpa para eu ficar de mau humor."

Você é responsável por ensinar a seu filho a importância de se comportar adequadamente, esteja cansado ou não.

☹ "Sem a soneca, o resto do dia fica prejudicado."

Não preveja um desastre e não culpe a criança, de maneira irracional, pelas conseqüências.

☺ "A recusa de meu filho não significa a ruína do meu dia."

Você controla sua reação à recusa de seu filho em tirar uma soneca. Se ficar calmo, demonstra como lidar com a frustração.

☹ "Não agüento ouvi-lo chorar, por isso vou permitir que fique acordado."

Os pais não gostam de ouvir o filho chorar, mas permitir que ele fique acordado não vai ensiná-lo a lidar com a adversidade.

☺ "Meu filho pode não precisar mais da hora da soneca, mas sei que ele ainda precisa de um período de calma e descanso."

Dê a ele a opção de ter um tempo de silêncio e descanso, mas assegure-se de que ele compreende que é uma escolha entre duas opções.

Conversando com seu filho

Não use a culpa. Não diga: **"Estou cansado do seu choramingo na hora do descanso. Vá para o seu quarto."**

Você já sabe que seu amor não pode parecer condicional aos olhos da criança e que também não deve intimidá-la para obter a cooperação dela.

Faça um acordo. Diga: **"Quando o seu descanso tiver terminado, poderemos chamar um amigo para brincar aqui mais tarde."**

Use a regra-batizada-por-vocês para que a atenção da criança fique concentrada na diversão futura, depois de um tempo de descanso.

Não reclame. Não diga: **"Quantas vezes tenho de dizer a você para tirar uma soneca?"**

Reclamar não vai levá-lo a conseguir o que deseja, e sim produzir um efeito colateral perverso (ensinar *seu filho* a reclamar).

Seja positivo. Diga: **"Que bom que temos um tempo de descanso agora. Depois, teremos muita energia para o resto do dia."**

Ter uma atitude positiva e dar o exemplo de tirar um tempo de descanso ajuda a criança a enxergar os benefícios da cooperação.

CAPÍTULO 5

"Não quero trocar o berço por uma cama grande!"

Pode ser que seja hora de sua filha de 2 anos abandonar o berço, mas ela não está gostando nada dessa história de ser uma "mocinha". Lembre-se de que mudanças são estressantes para uma criança pequena e que ela está preocupada com a possibilidade de ser retirada de sua zona de conforto. Converse de maneira positiva sobre a transição com pelo menos duas semanas de antecedência, e planeje fazer várias alterações importantes na mesma ocasião para evitar que ela tenha de se adaptar a cada uma delas separadamente. Por exemplo, faça-a trocar o berço pela cama grande, mude a posição dos móveis e coloque cortinas novas, tudo ao mesmo tempo. Mas, se achar que a criança pode se ajustar melhor a mudanças implantadas aos poucos, siga esse caminho. Você conhece melhor do que ninguém os seus filhos.

Dicas úteis

- Assegure-se de que a criança já é capaz de dormir numa cama grande sem cair. Se necessário, ponha uma grade temporária para protegê-la. Evite colocá-la no leito superior de uma cama beliche até que ela complete pelo menos 6 anos.
- Estimule a criança a levar para a cama um ou dois "amigos" (bichos de pelúcia, bonecas, etc.) para ajudá-la na transição.
- Compre alguns lençóis da cor predileta da criança ou com o personagem preferido de desenhos animados para tornar a mudança mais atraente.

Autoconversação

☹ "Isso vai criar tanto problema, que não vale a pena; vou deixá-la no berço mesmo."

Esperar uma grande guerra é ter a certeza de que ela vai mesmo acontecer. Adiar a tarefa não fará sua necessidade desaparecer.

☺ "Posso esperar alguma resistência de minha filha a grandes mudanças, mas sou capaz de lidar com isso."

Reafirme a sua capacidade de lidar com os protestos da criança.

☹ "Por que ela tem de ser assim? Por que essa mudança não pode ser fácil?"

É normal que crianças pequenas resistam a mudanças enquanto lutam para afirmar a própria identidade e obter o controle de seu mundo.

☺ "Uma crise ocasional faz parte do crescimento. Preciso me manter tranqüilo."

Ser um exemplo de autocontrole vai ajudar a criança a desenvolver essa qualidade.

☹ "Meu filho é tão inseguro; ele não consegue lidar com a mudança do berço para uma cama."

Quando você decide que seu filho é inseguro, desiste de esperar que ele tenha a habilidade de adquirir confiança para lidar com as mudanças.

☺ "Meu objetivo é ajudar meu filho a aprender a lidar com as mudanças."

Uma criança é capaz de fazer qualquer coisa quando está decidida. Parte do processo de aprender a lidar com mudanças está em desenvolver confiança suficiente para aceitá-las, mesmo quando parecem assustadoras.

Conversando com seu filho

Não exija. Não diga: **"Pare de reclamar por ter de dormir numa cama grande. Seu berço já foi até embora."**

A sua falta de empatia sinaliza que a criança não vai conseguir apoio emocional de sua parte. Ela pode até acabar cooperando, mas apenas por medo de ser rejeitada – não vai aprender a lidar com o medo das mudanças.

Relembre a regra. Diga: **"A regra diz que quando uma criança completa 2 anos, passa a dormir numa cama grande."**

Apelar para a regra faz com que *ela* seja a vilã da história, e você pode permanecer como um aliado de seu filho. Dizer que a criança "passará" a dormir numa cama grande, e não que ela "tem" de fazê-lo, coloca um aspecto positivo na situação e permite que a criança sinta que tem algum controle nessa decisão.

Não faça promessas que não pode cumprir. Não diga: **"Se você dormir em sua cama grande, vou ficar ao seu lado até você pegar no sono."**

Com um suborno "ilimitado" como esse, prepare-se para passar os próximos anos fazendo a criança dormir, pois ela vai crescer dependente de sua presença.

Use o elogio. Diga: **"Você está sendo tão valente dormindo na cama grande! Vou ficar ao seu lado até o relógio marcar 20h30. Depois será hora de eu ir para a minha cama."**

Reafirmar a valentia da criança vai ajudá-la a preparar-se para a nova cama. Regular o tempo que você vai ficar no quarto dela facilita a adaptação à mudança.

Não mude a sua decisão. Não diga: **"Não suporto ouvir você chorar, por isso vou trazer seu berço de volta para você dormir nele."**

Voltar atrás numa decisão demonstra que o choro é a chave que seu filho tem para conseguir o que deseja. Essa atitude também é um exemplo de falta de persistência; você cede porque está frustrado, e não por ter mudado de idéia.

Reveja a situação. Diga: **"Sua cama nova é grande o bastante para que eu possa me deitar com você enquanto lemos algumas histórias. Isso não é bom?"**

Fazer com que a criança perceba os benefícios da nova cama vai ajudá-la a desviar a atenção do berço.

CAPÍTULO 6

"Não quero dormir na minha cama!"

Você quer que seu filho fique na própria cama, mas ele pede para dormir com a irmã, com o cachorro – ou com você. Estabeleça uma regra sobre onde cada pessoa da família deve dormir. Se você decidiu que seu filho deve dormir na própria cama, evite mudar a regra. Não permita que ele passe a noite com você, mesmo que esteja doente ou que seu marido esteja viajando. A firmeza reduz a possibilidade de a criança testar as regras.

Dicas úteis

- Estabeleça regras e rotinas para a hora de dormir para a criança saber o que esperar.
- Se você tem dormido junto com seu filho e decidiu que ele precisa mudar para a própria cama, explique a nova regra e reforce-a com firmeza.

Autoconversação

☹ "Não suporto ouvir meu filho chorar no meio da noite, por isso vou deixá-lo dormir na minha cama."

O choro dos filhos incomoda, e muito. Mas, se você tem certeza de que a criança não está doente ou machucada, evite mudar a regra que determina que ela deve dormir na própria cama. Ceder ensina a seu filho que chorar pode levá-lo a conseguir o que deseja e que as regras dos pais não têm muita importância.

☺ "Não gosto de ouvir meu filho chorar, mas sou capaz de lidar com essa situação enquanto ele se acostuma a dormir na própria cama."

Ter sempre em mente o seu objetivo de longo prazo vai ajudar você a vencer a falta de cooperação momentânea da criança. Com calma, é mais fácil lidar com os protestos.

☹ "Todos vão me achar louco por deixar meu filho dormir comigo."

Preocupar-se com a opinião dos outros dá a eles poder sobre as suas decisões. Você deve escolher o que for melhor para a sua família, não o que está de acordo com a opinião de terceiros.

☺ "Não me importo com o que os outros pensam sobre como dormimos. Tenho de fazer o que acredito ser o melhor."

Baseie suas decisões educacionais nos *seus* valores e nas *suas* crenças, não nos dos outros.

☹ "Odeio meu ex-marido por permitir que meu filho durma na cama dele quando o menino vai visitá-lo."

Odiar o pai da criança por ter regras diferentes das suas é perda de energia. Só serve para aumentar a tensão entre vocês dois e para prejudicar o relacionamento de seu filho com o outro responsável. O único espaço que você controla é o que lhe pertence.

☺ "Preciso entender que o meu ex tem regras diferentes na casa dele."

Aceitar que os outros tenham regras diferentes vai ajudar você a impedir uma guerra e evitar que a criança seja obrigada a decidir se será leal ao pai ou à mãe.

Conversando com seu filho

Não ceda. Não diga: **"Está bem, você já chorou o bastante. Venha dormir na minha cama."**

Mudar a regra porque a criança está chorando é uma atitude perigosa para todos. Decida antecipadamente como vai agir. Se ouvir um choramingo, você pode, por exemplo, deixar a criança sozinha. Se ouvir um choro aflito, você pode dar uma olhada para verificar se está tudo bem.

Mude o foco. Diga: **"Eu sei que você se sente sozinho dormindo em seu próprio quarto, mas você tem o seu ursinho de pelúcia para lhe fazer companhia. Você pode conversar com ele."**

Ajude seu filho a pensar em maneiras de ficar sozinho. Diga que você compreende a necessidade dele de ter companhia, mas que ele precisa ter coragem para aprender a dormir sozinho.

Não use e culpa. Não diga: **"Só porque sua mãe, na casa dela, deixa você dormir com ela, isso não significa que você pode dormir comigo."**

Culpar o outro responsável pela resistência da criança em dormir na própria cama não vai ensiná-la a assumir a responsabilidade pelas próprias escolhas nem a aprender a dormir sozinha.

Ensine a criança a ser flexível. Diga: **"Eu sei que você dorme na cama da mamãe quando está na casa dela, mas aqui você precisa dormir em sua própria cama."**

Ajude a criança a entender que lugares diferentes têm regras diferentes. Essa atitude vai ensiná-la a adaptar-se a outros ambientes e vai fazer de você um aliado de seu filho, nunca um inimigo.

TERCEIRA PARTE

CRESCER

Esses são os anos mágicos... e, portanto,
os momentos mágicos.

ANÔNIMO

CAPÍTULO 7

"Eu quero o meu paninho!" "Eu quero a minha chupeta"

Sua filha de 3 anos carrega um pedaço de pano (ou uma chupeta) para todos os lugares. E você acha que já é hora de limitar o tempo de permanência com esses objetos que lhe trazem aconchego. Um bom começo é estabelecer hora e local para o uso deles, sempre ajudando a criança a acalmar-se de outra maneira.

Dicas úteis

- Ofereça um ambiente caloroso e tranqüilo para que a criança se sinta segura ao abrir mão de objetos que lhe trazem aconchego.
- Estabeleça regras sobre onde e quando paninhos, chupetas, bichos de pelúcia e coisas do gênero podem ser usados.
- Use aniversários como momentos de transição para abandonar os itens de aconchego. Diga, por exemplo: "Agora você já tem 5 anos. Vamos treinar para deixar o ursinho em casa enquanto você vai à escola."
- Permita o uso da chupeta somente na hora de dormir (com o aval do dentista, para não prejudicar o alinhamento dos dentes ou da mandíbula).

Autoconversação

☹ "Não suporto ver minha filha com aquele paninho na mão o tempo todo."

Emoções negativas bloqueiam a capacidade de ser criativo.

☺ "Sou capaz de conviver com essa necessidade que minha filha tem de usar um paninho até estar pronta para abandoná-lo."
A criança precisa abandonar o objeto gradualmente. Ninguém gosta de ser forçado a fazer algo.

☹ "Se eu não tirar esse paninho do meu filho agora, ele vai continuar a usá-lo até entrar na faculdade."
Que pressão desnecessária! Se ele não estiver pronto para abandonar o hábito, essa atitude vai aumentar a resistência. Ele sempre vai tentar manter algum controle sobre o próprio mundo.
☺ "Meu objetivo é ajudar meu filho a desenvolver novas maneiras de se aconchegar."
Você deseja estimular a criança a desenvolver outras técnicas de autoaconchego, como desenhar, fazer uma atividade favorita, pensar em acontecimentos felizes ou folhear livros de histórias. Ter em mente esse objetivo vai evitar que você deixe o problema imediato desencorajá-lo.

Conversando com seu filho

Não ameace. Não diga: **"Se você não tirar essa chupeta da boca agora mesmo, vou jogá-la fora."**
Nunca intimide a criança! Ameaçar jogar fora a chupeta é um castigo cruel por um crime que ela não cometeu. Em vez de ajudá-la a cooperar, essa atitude só vai aumentar a insegurança dela e diminuir sua motivação para abandonar o hábito.
Use o cronômetro. Diga: **"Você pode ficar com a chupeta até o cronômetro tocar. Depois, vamos guardá-la até amanhã."**
Usar o cronômetro é uma maneira não ameaçadora de ajudar você e seu filho a chegar a um acordo saudável. A motivação dele para largar o hábito só vai aumentar.

Não deprecie. Não diga: **"Qual é o seu problema? Você não consegue sair de casa sem esse paninho"?**
Dizer à criança que ela tem um problema pode levá-la a acreditar que

amar seu paninho seja errado. Na verdade, usar um brinquedo especial ou um paninho como forma de auto-aconchego é normal em crianças pequenas.

Estabeleça limites. Diga: **"Eu sei que você quer levar seu paninho para o nosso passeio, mas a regra diz que ele só pode ser usado em casa."**

Limitar o uso do objeto de aconchego pode ajudar a criança a começar a se afastar dele.

Não suborne. Não diga: **"Se você abandonar sua chupeta, vamos comprar algumas tintas lindas para você brincar de pintar."**

Subornar a criança não vai ajudá-la a abrir mão de seu objeto querido. Oferecer uma gratificação só vai desviar a atenção dela do aprendizado de como lidar com mudanças.

Relembre a regra. Diga: **"A regra diz que sua chupeta é para ser usada na hora de dormir. Acho que você consegue ficar sem ela até essa hora. Vamos procurar alguma coisa divertida para fazer?"**

Restringir os itens de aconchego a determinados horários e desviar o foco de atenção da criança para outras atividades permite que ela vá largando o hábito aos poucos. O segredo para conseguir a cooperação dela é fazer com que se sinta apoiada e amada.

Não humilhe. Não diga: **"Você parece uma bobalhona com essa coisa na boca. Tire essa chupeta para eu entender o que você diz."**

Chamar a criança de bobalhona só vai aumentar a necessidade dela de usar a chupeta. Apelidos maldosos também vão ensiná-la a valer-se dessa mesma tática quando se sentir frustrada.

Demonstre empatia. Diga: **"Sinto muito que você goste tanto de sua chupeta, mas é importante tirá-la para que as pessoas entendam o que você diz."**

Explique o problema gentilmente para que a criança compreenda a necessidade prática de tirar a chupeta. Faça com que ela saiba que você compreende quanto ela ama esse objeto.

CAPÍTULO 8

"Não quero dar o meu quarto para o bebê!"

Alguém está chegando, tomando o seu espaço para nunca mais sair – alguém que você nem conhece. É assim que sua filha de 2 ou 3 anos se sente quando você avisa que ela precisa trocar de quarto porque o bebê vai se mudar para lá. Para facilitar a transição, peça ajuda à criança na hora de preparar o quarto onde ela vai ficar. Se possível, escolha os móveis, pinte as paredes e termine todos os preparativos bem antes da chegada do bebê.

Dicas úteis

- Reflita sobre a personalidade da criança mais velha para avaliar a reação que ela vai ter com a mudança de quarto. Ela é do tipo que "nada conforme a maré" ou tem dificuldades em ser flexível? Essa informação será útil para você no momento em que for ajudá-la a lidar com a mudança.
- Converse sobre a chegada do bebê de maneira positiva para que a criança veja o novo integrante da família como um amigo e não como um inimigo!

Autoconversação

☹ "Não quero ver minha filha sofrer, vou deixar tudo como está."
Embora seja tentador evitar mudanças, essa atitude não cria o espaço necessário para o bebê e não ensina a criança a lidar com as transformações. Para aprender a enfrentar as mudanças, é preciso experimentá-las.

☺ "Se eu lidar bem com as mudanças, minha filha vai aprender a fazer o mesmo."
O seu entusiasmo envia à criança a mensagem de que mudar para um novo quarto é um acontecimento animador. O seu exemplo vai ensiná-la a encarar as mudanças como desafios, não como ameaças.

☹ "Estou desgostoso por minha filha não valorizar todo o trabalho que tive para decorar o novo quarto dela."
Amar incondicionalmente significa dar sem esperar nada em troca. Sentir-se desgostoso porque a criança não reage de maneira positiva a uma mudança demonstra que você só a ama quando a aprova.
☺ "Posso entender a relutância de minha filha em abrir mão de seu quarto."
A criança pequena é egocêntrica e não se importa com o que foi feito em seu novo quarto. Ela luta contra a sensação de ter sido desalojada. Sentir-se apoiada e amada vai ajudá-la a lidar com a mudança.

☹ "O que há de errado com esse menino? Ele deveria estar animado com a mudança para o novo quarto."
Acreditar que existe "algo errado" com a criança ou que ela deveria comportar-se de outra maneira sugere que você controla os pensamentos, os sentimentos e os comportamentos dela. Nada disso! Você controla *apenas* a sua reação a eles.
☺ "Eu também já tive problemas para me adaptar a mudanças, por isso compreendo a aflição dele."
A sua empatia ajuda a criança a sentir que vocês jogam no mesmo time, o que a leva a cooperar e fazer o que você pede.

Conversando com seu filho

Não seja desrespeitoso. Não diga: **"Pare de falar em seu antigo quarto. Você vai ter de se acostumar com o novo."**
A sua falta de empatia faz a criança ver você como um inimigo nessa crise. Ninguém deseja cooperar com o inimigo.

Redirecione a atenção da criança. Diga: **"Eu compreendo que você não queira sair desse quarto, mas seu quarto novo é tão bonito. Vamos ver todas as coisas boas que ele tem."**

Conversar sobre os benefícios do quarto novo demonstra como encarar mudanças com uma atitude positiva.

Não suborne. Não diga: **"Se você der o seu quarto para o bebê, vou lhe comprar aquele brinquedo que você tanto queria."**

Como pai, é sua função estabelecer regras; a função de seu filho é testá-las. Quando você oferece um suborno, envia a mensagem de que suas regras são insignificantes; a criança não precisa segui-las se não ganhar algo em troca. Os filhos têm de aprender que devem executar uma tarefa porque é o que a regra diz e não porque vão receber um prêmio por fazê-lo.

Faça um acordo: **"Você tem me pedido para deixar uma amiga dormir aqui em casa. Quando você tiver se mudado para seu novo quarto, poderá convidá-la e mostrará a ela como a nova arrumação ficou bonita."**

A regra-batizada-por-vocês faz com que a criança sinta que tem algum controle sobre a própria vida, um sentimento que vai ajudá-la quando se sentir desalojada.

Não humilhe. Não diga: **"Não vou tolerar suas bobagens. Pare de ser um bebê chorão."**

Ser um bebê é o papel que uma criança de 2 anos tem desempenhado por toda a vida. É natural que ela resista quando você a acusa de agir como tal. E mais: ela não pode se mostrar disposta a atender a seus pedidos quando você diz que os protestos tão sinceros dela não passam de bobagens.

Seja proativo. Diga: **"Eu preciso de sua ajuda para preparar o seu quarto antigo para o bebê. Você vai saber como fazer seu irmão se sentir bem nesse quarto porque gostava muito dele."**

Faça com que a criança participe do comitê de boas-vindas para o bebê. Essa atitude atribuirá a ela um importante papel na transição e vai ajudá-la a concentrar-se nas maneiras positivas de relacionar-se com o novo irmão, a nova identidade e o novo espaço.

Não implore. Não diga: **"Por favor, coopere para que possamos usar o seu quarto para o bebê."**
Implorar para que a criança coopere a ensina a fazer o mesmo para conseguir o que quer. Seu objetivo é motivá-la a atender a seus pedidos, demonstrando os benefícios dessa atitude.
Inclua a criança. Diga: **"Vamos bolar idéias para decorar o seu quarto?"**
Incluir a criança nos planos e pedir que ela dê sugestões assegura a posse do novo espaço e sinaliza que as idéias dela são importantes.

Não deboche. Não diga: **"Por que você tem medo de mudar? Está achando que tem um bicho-papão no seu quarto novo?"**
Essa atitude só mostra que você não se importa com os sentimentos do seu filho.
Elogie. Diga: **"Você é tão valente e forte. Sei que vai ficar muito bem em seu novo quarto."**
Sim, a criança é forte para lidar com mudanças. E ficará cada vez mais segura sempre que essa qualidade for reforçada. Acreditando-se capaz e forte, ela vai se sentir feliz em aceitar qualquer mudança. Afinal, você estará dando valor à capacidade dela de lidar com as transformações.

CAPÍTULO 9

"Não quero ficar com a babá!"

Seu filho de 4 anos quer que você fique ao lado dele o dia *todo* e não consegue entender por que você deseja deixá-lo. Para transformar o tempo em que vocês estiverem separados em momentos felizes e agradáveis, encontre babás que compartilhem os interesses de seu filho e que saibam se relacionar com ele de acordo com seu nível de desenvolvimento. Lembre-se de fazer com que as despedidas sejam curtas e amenas para que ele não crie o hábito de agarrar-se a você na hora da saída.

Dicas úteis

- Programe-se para sair regularmente para que seu filho se acostume a ficar com uma babá.
- Prepare bem a criança, com antecedência, quando planejar uma saída à noite. Relembre-a de vez em quando durante o dia.
- Muitas babás se tornam "amigas especiais" porque amam brincar com crianças e ensinam novidades com segurança. Chamar a babá de "amiga especial" fortalece os laços entre ela e seu filho e ajuda a criança a enfrentar os momentos em que você está ausente.

Autoconversação

☹ "Acho que teremos de esperar até ele ficar um pouco mais velho." Mudar seus planos porque seu filho demonstra preocupação não vai ensiná-lo a enfrentar uma situação em que não consegue o que quer.

Em vez disso, essa atitude sinaliza que ele pode controlar as decisões dos pais criando confusão.

☺ "Devo ajudar meu filho a aprender a lidar com mudanças."

Reafirmar o seu objetivo de longo prazo faz com que você lide melhor com a dificuldade da criança em separar-se de você.

☹ "Sinto-me tão culpado quando saio e meu filho fica apreensivo, principalmente quando ele passou o dia todo na creche."

A culpa vem do fato de você acreditar que está fazendo algo errado por deixar seu filho o dia todo na creche.

☺ "Fico feliz por meu filho ter uma chance de lidar com as frustrações."

Encontre uma babá competente, deixe os números de telefone importantes, converse sobre os cuidados com seu filho e mostre a ele que você logo estará de volta. Fazer isso oferecerá a seu filho a oportunidade de praticar essa separação momentânea.

Conversando com seu filho

Não ceda. Não diga: **"Tudo bem. Vamos ficar com você."**

Ceder aos protestos não é uma atitude que permite praticar a separação. Não ensina a ser independente.

Demonstre empatia. Diga: **"Sinto muito, sei que você quer ficar conosco. Quando voltarmos, viremos lhe dar um beijo."**

Seja empático e, ao mesmo tempo, firme em sua decisão de sair. Fica a mensagem de que você se importa com os sentimentos da criança e de que ela ficará bem na sua ausência.

Não ameace. Não diga: **"É tanta confusão, que vamos sair escondidos."**

Nunca tente esse truque! Ele quebra a confiança e aumenta a ansiedade de seu filho. E ainda sinaliza que *ele* também pode sair sem avisar os pais.

Ofereça uma escolha. Diga: **"Nós vamos sair na sexta-feira à noite. Quem você quer que eu chame para ficar com você?"**

Motive a criança a cooperar. Ela vai se sentir importante e valorizada.

CAPÍTULO 10

"Não quero ajudar!"

Você já pediu várias vezes à sua filha de 3 anos ajuda, mas ela sempre finge que não ouve. Quanto mais ela o ignora, mais zangado você fica. Em vez de se lamentar e reclamar, aproveite a oportunidade para entender o ponto de vista da criança. O pedido de ajuda para buscar uma fralda para o irmãozinho não estaria despertando ciúmes nela? Será que ela ouve você? Compreende o seu pedido? Está ocupada com as próprias atividades? Entender o que se passa com a criança vai ajudar você a escolher a melhor maneira de ensiná-la a ser uma pessoa que demonstra cooperação e apoio, duas habilidades que a deixarão feliz com ela mesma e farão com que os outros se sintam bem em relação a ela.

Dicas úteis

- Sirva de exemplo: ajude, cuide, esteja disponível. A criança vai valorizar a importância desses comportamentos.
- Elogie *qualquer* demonstração de ajuda da criança, estimulando-a a repetir o comportamento.
- Pense no que sua criança mais velha está fazendo antes de lhe pedir ajuda. Talvez ela precise de algum tempo para acabar um projeto, por exemplo, antes de ajudar você.

Autoconversação

☹ "Ela nunca quer ajudar. Onde foi que eu errei?"

Não exagere usando palavras como *nunca.* Evite também culpar a si mesmo pelo problema.

☺ "Não há problema em ela não querer ajudar. Sou capaz de lidar com isso."
Não supervalorizar o problema vai ajudar você a se concentrar em soluções possíveis. A resistência da criança pode causar frustração e irritação, mas dizer a si mesmo que você é capaz de resolver o problema é o primeiro passo.

☹ "Ela sempre foi uma menina egoísta."
Rotular a criança de egoísta faz com que o problema se torne permanente. Você só fica mais longe da solução.
☺ "Minha função é ajudar minha filha a aprender a ser uma pessoa gentil, que se preocupa com os outros."
Concentrar-se em seu objetivo principal impede que você se desvie da função de ensinar a criança a cooperar.

Conversando com seu filho

Não use a culpa. Não diga: **"O que há de errado com você? Eu faço tudo por você o dia inteiro, e você não levanta um dedo para me ajudar!"**
Isso é péssimo! Essa reação diminui a auto-estima da criança e a capacidade dela de aceitar os próprios erros. Sugerir que a criança tem algum problema envia a equivocada mensagem de que o comportamento dela define a pessoa que ela é.
Faça-a expressar o que sente. Diga: **"Conte-me em que você pensa quando eu lhe peço que pegue uma fralda para seu irmãozinho."**
Esse pedido respeitoso dará a você alguma informação sobre o comportamento da criança, ajudando a determinar como ela deve agir. Ela também vai adquirindo o saudável hábito de expressar seus sentimentos.

Não fique zangado. Não diga: **"Você me irrita tanto quando me ignora. Agora venha aqui e me ajude!"**
Dizer à criança que ela provoca raiva em você diminui a capacidade

dela de sentir empatia e a faz acreditar que possui um tremendo poder sobre as emoções dos pais – uma perspectiva assustadora para ela. Na verdade, só *você* controla seus próprios sentimentos.

Faça um acordo. Diga: **"Quando você tiver trazido a fralda para mim, poderemos pegar aquele livro de histórias que você tanto quer que eu leia."**

Pense em como você pode ajudar seu filho a fazer o que ele tem vontade e use isso para motivá-lo a cooperar.

Não amedronte. Não diga: **"Acho que vou ter de sair à procura de uma outra menina para me ajudar com seu irmãozinho."**

Não tente motivar uma criança pelo medo! Sugerir que você vai abandoná-la não é uma boa maneira de ensiná-la a ajudar. Essa atitude vai demonstrar que o seu amor é condicional – que ele vem e vai de acordo com o comportamento dela. A criança pode acabar cooperando, mas apenas para tentar manter o amor dos pais. Ela também vai assimilar uma perigosa e equivocada lição: a de que o comportamento que ela adota define quem ela é.

Elogie. Diga: **"Muito obrigado por me ajudar. Não sei o que faria sem a minha ajudante."**

Declarar que você depende da criança motiva o desejo dela de cooperar. Para uma criança, amor se escreve com as letras e-l-o-g-i-o.

CAPÍTULO 11

"Não vou ficar de castigo!"

Deixar a criança no quarto de castigo não só a retira de uma situação frustrante como a ajuda a se acalmar. Quando ela resiste em ficar de castigo, sua função é fazê-la voltar, gentil mas firmemente, para o local onde deve permanecer. A recusa em cooperar reforça a necessidade de uma breve separação. É importante manter uma postura calma e amorosa ao levar a criança para o lugar onde ficará de castigo; não a retire de maneira desrespeitosa de onde está. Quanto mais calmo você se mantiver, maiores serão as possibilidades de conseguir cooperação.

Dicas úteis

- Monitore seu filho durante as brincadeiras para que você possa intervir antes que a frustração dele o leve ao descontrole.
- Ponha a criança de castigo para acalmá-la e reduzir o risco de que ela machuque a si mesma ou os outros.
- Use o tempo de castigo como um momento positivo, que ajuda a desenvolver o autocontrole, e não como uma punição por um comportamento inadequado.
- Lance mão do castigo quando a criança apresentar algum comportamento social inadequado (bater, morder, empurrar, agarrar, dizer palavrões, etc.). A idéia é mostrar a ela que respeitar as pessoas é extremamente importante.

Autoconversação

☹ "Sou um péssimo pai. Se eu conseguisse controlar meu filho, ele não se comportaria tão mal e não precisaria ficar de castigo."

Em primeiro lugar, você não pode controlar o comportamento de seu filho; você só pode orientá-lo. Em segundo lugar, evite culpar-se pelas escolhas dele e não diga a si mesmo que colocá-lo de castigo é ruim.

☺ "Vou deixar meu filho de castigo por um tempo para ajudá-lo a se acalmar."

Use o tempo de castigo para ajudar seu filho a se acalmar e não para humilhá-lo ou provocar sofrimento. Em vez de se sentir culpado por colocá-lo de castigo, lembre-se de que ele está aprendendo a se recompor para assumir um comportamento apropriado.

☹ "Meu filho me deixa muito zangado quando me faz passar vergonha na frente dos meus amigos."

Não culpe a criança por sua raiva e seu constrangimento. Essa atitude vai fazer com que você queira puni-lo em vez de ensiná-lo a optar por um comportamento mais tranqüilo e cooperativo.

☺ "Manter a calma enquanto ponho meu filho de castigo vai ajudá-lo a se acalmar também."

Mostrando-se calmo, você ensina a seu filho que o autocontrole é uma maneira eficiente de lidar com situações difíceis.

Conversando com seu filho

Não rotule. Não diga: **"Se você não fosse um menino tão mau, não precisaria ficar de castigo."**

Ao dizer à criança que ela é má, você cria uma profecia. Tenha a expectativa de que ela o surpreenda de maneira *positiva*, nunca negativa.

Relembre a regra. Diga: **"Eu compreendo que você não queira ficar um tempo de castigo, mas, quando você escolhe bater em alguém, você também escolhe que vai parar de brincar por um tempo."**

Demonstre a seu filho que as escolhas dele resultam em conseqüências previsíveis.

Não abra mão do castigo. Não diga: **"Tudo bem. Eu sei que você se arrependeu. Não precisa ficar de castigo."**

Não impeça seu filho de assumir a responsabilidade pelas próprias atitudes, mesmo que você ache que o arrependimento dele já resolveu o problema. Essa atitude iria demonstrar que tudo o que ele tem a fazer para não passar um tempo de castigo é dizer que está arrependido.

Faça um acordo. Diga: **"Quando você tiver ficado de castigo pelo tempo determinado, poderá voltar a brincar."**

A regra-batizada-por-vocês ensina seu filho a adiar gratificações e demonstra o seu respeito pelo desejo dele de voltar a brincar.

Não use a culpa. Não diga: **"Se você tivesse se comportado como deveria, não ficaria de castigo."**

Evite motivar a criança a cooperar fazendo-a sentir-se culpada. Ela não vai entender os benefícios de optar por um comportamento adequado quando se sentir frustrada.

Permaneça positivo. Diga: **"Um tempo de castigo ajuda a nos acalmar. Quando estamos calmos, fazemos melhores escolhas e nos divertimos mais."**

Mostre os benefícios de passar algum tempo longe de qualquer atividade. Essa atitude ajuda seu filho a aprender a valiosa lição de retirar-se de uma situação tensa quando estiver alterado.

CAPÍTULO 12

"Eu quero ficar no seu colo!"

Nada pode ser melhor do que ser carregado, com todo o amor, no colo dos pais. Sua filha de 2 anos sabe disso e quer prolongar esse prazer que você a ensinou a cultivar. Faça-o sempre que for possível. Mas, quando não der, lembre-se de que você pode ajudá-la a caminhar sozinha, sem abrir mão de tocá-la e acariciá-la.

Dicas úteis

- Crie regras que determinem por quanto tempo você poderá carregar a criança.
- Elogie a capacidade da criança de caminhar sozinha.
- Lembre-se de que as pernas da criança são mais curtas que as suas e que ela precisa de mais tempo para cobrir o mesmo percurso.
- Vá aumentando aos poucos a tolerância à caminhada. Comece com pequenos trechos nos arredores de casa e vá esticando o trajeto à medida que a energia da criança se desenvolve.
- Limite o uso do carrinho para que a criança aprenda a gostar de caminhar e tenha a oportunidade de se exercitar.

Autoconversação

☹ "Minha filha é tão preguiçosa!"

Rotular a criança de preguiçosa torna o problema insolúvel.

☺ "Ficar zangado com ela não vai ajudar em nada."

Reconheça que *você* controla a sua raiva e que essa raiva não é boa para você nem para o relacionamento com seu filho.

☹ "Eu deveria carregá-la."
Dizer a si mesmo que você "deveria" fazer algo sugere que só há uma maneira correta de lidar com a situação. Lembre-se: você está querendo ajudar seu filho a se tornar forte e independente.

☺ "Eu compreendo o desejo de minha filha de ser levada no colo."
Sentir empatia com as necessidades da criança permite que você descubra maneiras agradáveis de ajudá-la a lidar com o desapontamento.

Conversando com seu filho

Não deprecie. Não diga: **"Por que você não consegue andar sozinha? Você quer ser gorda e preguiçosa quando crescer?"**
Sugerir que a criança será gorda não demonstra como lidar com a necessidade de ser carregada. Soa até como algo profético.
Ofereça uma alternativa. Diga: **"Eu queria carregar você, mas minhas mãos estão ocupadas. Quando chegarmos em casa, você poderá sentar-se no meu colo para lermos um livro."**
Oferecer outra opção demonstra que você valoriza o desejo de seu filho de ficar no seu colo e que você está disposto a descobrir a melhor maneira de fazê-lo. É uma grande lição de trabalho em equipe!

Não suborne. Não diga: **"Se você caminhar, vai ganhar um sorvete."**
Subornar a criança com comida passa a mensagem de que você deve recompensá-la quando fizer o que lhe pedem.
Faça um acordo. Diga: **"Sinto muito por não carregar você agora, mas poderemos ficar de mãos dadas durante as compras."**
Oferecer à criança um acordo atraente demonstra sensibilidade pelos desejos dela sem sacrificar os seus.

Não use a culpa. Não diga: **"Você não está vendo que eu estou exausto?"**
A culpa não motiva a criança a se tornar mais independente.
Use palavras positivas. Diga: **"Você está andando tão bem sozinha. Tenho certeza de que consegue andar mais um pouquinho."**
Elogiar motiva a criança a prosseguir. Do orgulho vem o incentivo.

CAPÍTULO 13

"Eu quero chupar o dedo!"

Muitas guerras já aconteceram entre pais e filhos por causa de um dedo na boca. Segundo a Academia Americana de Odontopediatria, a maioria das crianças pára de chupar o dedo espontaneamente entre 2 e 4 anos de idade, e esse hábito só se torna motivo de preocupação quando começam a surgir os dentes permanentes, por volta dos 5 anos. Talvez você queira estimular seu filho a abandonar o hábito para evitar problemas de inchaços, infecções ou calos nos dedos. Por outro lado, compreenda que a criança considera o hábito de chupar o dedo uma maneira fácil e conveniente de confortar a si mesma.

Autoconversação

☹ "Fico muito preocupado quando vejo meu filho chupando o dedo."

Ficar preocupado e prever calamidades são atitudes que impedem você de buscar soluções criativas.

☺ "Não vou me desesperar por meu filho chupar o dedo, mas vou trabalhar para encontrar uma solução."

Recusar-se a ficar preocupado permite que você pense em maneiras positivas de ajudar seu filho a manter o dedo fora da boca.

Conversando com seu filho

Não ameace. Não diga: **"Tire esse dedo da boca senão vou colocar pimenta nele!"**

Ameaçar colocar pimenta (ou sabão) no dedo de seu filho indica que você é capaz de causar-lhe dor para obrigá-lo a cooperar.

Demonstre empatia. Diga: **"Eu sei que é difícil tirar o dedo da boca. Vamos tentar descobrir maneiras agradáveis de manter a sua mão ocupada."**

Faça com que seu filho saiba que você compreende como é difícil para ele manter o dedo fora da boca. Essa atitude vai gerar mais confiança em suas palavras. Quando ele sentir que você está do lado dele, ficará mais inclinado a cooperar.

Não suborne. Não diga: **"Se você conseguir ficar com o dedo fora da boca, vou lhe comprar um brinquedo novo."**

Seu filho não deve esperar uma recompensa por ter cooperado.

Pratique comportamentos alternativos. Diga: **"Vamos treinar assistir à televisão sentados sobre as mãos. Dessa maneira você não poderá colocar o dedo na boca. Muito bem, você consegue fazer isso."**

Comportamentos preventivos ajudam a criança a alcançar o objetivo que você estabeleceu. Elogiar a cooperação estimula a repetição do comportamento.

CAPÍTULO 14

"Não quero ir ao banheiro!"

As razões para esse protesto são tão variadas quanto as próprias crianças: não querer interromper uma brincadeira, ter medo de usar banheiros em lugares estranhos, não estar sentindo vontade, etc. Peça a seu filho de 3 anos que conte a você em que ele está pensando quando diz que não quer ir ao banheiro para que você torne essa experiência tão fácil e confortável quanto possível, seja em casa ou em qualquer outro lugar.

Dicas úteis

- Não pergunte constantemente à criança se ela quer ir ao banheiro. Ela pode passar a depender de seus lembretes e não se preocupar em perceber sozinha os sinais de que precisa ir.
- Acostume a criança a usar o banheiro antes de uma longa viagem de carro ou de qualquer saída de casa mais prolongada.
- Evite reclamar quando tiver de fazer uma parada para ir ao banheiro. Sua atitude é contagiosa.

Autoconversação

☹ "Eu fico maluco quando ela não quer ir ao banheiro quando eu a convido e aí um 'acidente' acontece."

Dizer que a criança o enlouquece atribui a ela a responsabilidade pelos seus sentimentos. *Você* escolhe como vai se sentir.

☺ "Nessa idade, não querer ir ao banheiro é normal."

Lide naturalmente com a resistência da criança.

☹ "O que há de errado com minha filha? Os filhos dos outros sabem como ir ao banheiro quando precisam."

Os pais costumam sentir o impulso de achar que seus filhos jamais estarão à altura das outras crianças, quando se recusam a obedecer. É melhor evitar comparações e suposições sobre o que as outras crianças são capazes de fazer.

☺ "Não me importo se muitas crianças pararam de fazer xixi nas calças na idade dela. Sei que não há nada errado com minha filha."

Quando você não compara seu filho aos outros, torna-se capaz de apoiá-lo e de compreender suas características individuais. A melhor maneira de ajudar uma criança é confiar nas próprias decisões como educador.

☹ "Não agüento mais minha filha fazendo xixi nas calças. Vou recorrer às fraldas outra vez."

Fugir do problema só vai confundir a criança: ela não vai aprender a usar o banheiro. Por mais frustrante que seja a situação, esse é um bom momento para praticar sua paciência e sua tolerância – duas habilidades essenciais para os pais.

☺ "Isso também vai passar. Sei que minha filha vai acabar aprendendo a controlar o xixi quando precisar!"

Olhar para o futuro ajuda você a aceitar com paciência a relutância dos pequenos em usar a privada quando for preciso.

Conversando com seu filho

Não grite. Não diga: **"Quando eu mandar você se sentar no vaso, é para você obedecer."**

Dar ordens pode passar a impressão de que você controla o comportamento da criança, mas essa atitude não vai ensiná-la a ouvir e cooperar.

Elogie. Diga: **"Obrigado por sentar-se no vaso quando eu lhe pedi. Agora você vai ficar limpa e seca; eu sei que você gosta de se sentir assim."**

Agradecer à criança por usar o vaso sanitário e lembrá-la de que ficar limpa e seca é importante são atitudes que vão estimulá-la a continuar a cooperar. Como ela anseia por sua aprovação, elogie bastante quando ela cooperar.

Não ameace. Não diga: **"Se você não for ao banheiro agora, vou perder a paciência. Você não quer que eu perca a paciência, quer?"**

Usar a raiva para motivar o comportamento da criança diminui a chance de ela sentir empatia.

Pratique. Diga: **"Vamos treinar o uso da privada. Muito bem, vamos andar da cozinha até o banheiro. Agora, vamos levantar a tampa da privada..."**

Treinar o caminho até o banheiro partindo de várias partes da casa pode ajudar a motivar a criança a permanecer seca. Estimule-a a usar a privada quando sentir necessidade e quando você pedir (antes de entrar no automóvel, antes de dormir, etc.).

CAPÍTULO 15

"Não quero que você leia para mim!"

Quando você ouve esse protesto, seu primeiro pensamento pode ser: "Oh, não, meu filho de 4 anos nunca vai gostar de ler!", ou "Ele *tem* de gostar que eu leia para ele! *Toda* criança gosta!". Talvez seu filho não queira ouvir histórias por ter problemas em ficar sentado e quieto, por não gostar do livro que você escolheu, por não entender todas as palavras ou por estar com a atenção voltada para outro foco. Tente descobrir os motivos da resistência sempre que ele recusar o seu convite.

Dicas úteis

- Faça da leitura uma parte da rotina diária da criança para que ela aprenda a esperar com alegria por esse momento.
- Deixe que a criança o veja lendo sozinho todos os dias. Ter nos pais bons modelos motiva os filhos.
- Limite o tempo de televisão e sugira a leitura sempre que seu filho procurar alguma atividade para se distrair.
- Evite reclamar por ter de ler o mesmo livro para seu filho todas as noites. A criança se sente segura com a repetição e a consistência, portanto descubra maneiras de manter seu entusiasmo.

Autoconversação

☹ "Odeio o fato de meu filho não querer que eu leia para ele. Se ele não gostar de ler, não vai se desenvolver intelectualmente."

Mais uma vez, nada de exagerar. “Odiar” a recusa de seu filho é uma escolha, assim como “ficar intrigado” ou “ficar curioso”. Optar por uma resposta positiva vai ajudá-lo a resolver o problema.

☺ "Só porque meu filho não quer que eu leia para ele agora não quer dizer que não vá querer no futuro."

Lembre-se sempre: a falta de interesse de seu filho pela leitura é temporária.

☹ "Fico tão magoada quando meu filho não quer que eu leia para ele... Eu sei que ele deixa o pai ler."

Não leve para o lado pessoal a rejeição da criança à leitura. Quando ela recusa a sua oferta, não está rejeitando você, somente a sua sugestão.

☺ "Não vou levar para o lado pessoal quando meu filho não quiser que eu leia para ele."

Se seu filho se recusa a ouvir histórias, tenha sempre em mente que seu objetivo é estimular o amor pelos livros, passar algum tempo juntos e usar a imaginação. Essa atitude vai ajudar você a lidar com o problema sem perder a motivação para continuar insistindo na leitura.

Conversando com seu filho

Não reaja com exagero. Não diga: **"Qual é o problema? Por que não quer que eu leia para você?"**

Não sugira que há algo errado com seu filho só porque ele não quer alguma coisa. Essa atitude sinaliza que discordar de você é errado.

Faça-o expressar o que sente. Diga: **"Ajude-me a entender por que você não quer que eu leia."**

Pedir que a criança expresse o que sente dará a você informações valiosas para modificar sua abordagem e tentar aumentar a receptividade da criança.

Não use a culpa. Não diga: **"Eu cheguei mais cedo em casa para ler para você e agora você não quer. O que está havendo?"**

Provocar a culpa em seu filho não vai ensiná-lo a cooperar. Essa atitude somente fará com que ele se feche, acreditando que você não vai aceitar que ele seja honesto sobre os próprios sentimentos.

Faça um acordo. Diga: **"Vamos marcar um tempo para a leitura e depois você poderá brincar com seus jogos."**

Respeite os planos de seu filho enquanto põe os seus em prática. Você deseja um tempo de leitura; ele quer brincar. Ele pode fazer o que quiser *depois* de atender ao seu pedido.

Não exija. Não diga: **"Ler é importante e eu vou ler para você, quer queira, quer não."**

Forçar uma criança a ouvir um adulto ler não desperta o amor pelos livros. Ninguém gosta de se sentir pressionado.

Seja positivo. Diga: **"Nós nos divertimos tanto lendo este livro ontem à noite. Achei que seria divertido ler a história novamente."**

Lembrar a seu filho o prazer que tiveram com a leitura pode motivá-lo a querer que você leia para ele outra vez. Quando você se mantém positivo, seu filho é contagiado pelo seu entusiasmo.

QUARTA PARTE

SAÚDE

Nossos maiores problemas na vida não vêm das situações
com as quais nos defrontamos, mas das dúvidas sobre
nossa capacidade de lidar com elas.
SUSAN TAYLOR

CAPÍTULO 16

"Não quero ir ao médico!"

Quando não sabemos o que nos aguarda, experiências como ir ao médico, ao dentista ou ao hospital equivalem a entrar num lugar escuro e desconhecido. Procure se lembrar de como você se sentia quando era pequeno e tinha de ir ao médico, e verá como isso pode ser assustador para as crianças. Para manter a confiança, diga sempre a verdade sobre o que vai acontecer (o médico vai examinar a garganta e os ouvidos, por exemplo). Ajude seu filho a superar qualquer eventualidade, conversando sobre como vocês dois serão capazes de lidar com qualquer coisa que aconteça no consultório.

Dicas úteis

- Escolha um médico que use uma abordagem gentil, que permita que você fique ao lado do seu filho e que saiba lidar com as crianças. O seu plano de saúde pode limitar as opções, mas faça o possível para descobrir uma clínica que ofereça bons pediatras.
- Na ocasião, converse com seu filho sobre *ir* ao médico e não sobre *ter* de ir.

Autoconversação

☹ "Fico tão constrangido quando minha filha chora no consultório médico!"

Se ficar constrangido, você não vai conseguir ajudar a criança a lidar com a situação. Lembre-se, o comportamento do seu filho sinaliza a você do que ele precisa. Concentre-se nessa necessidade.

☺ "Não me importo com uma crise de medo ocasional na sala de espera. Outros pais provavelmente já passaram pela mesma situação."
Dizer que uma crise de medo não é nada de mais ajuda você a aceitá-la como algo normal na vida das crianças pequenas. Essa atitude também evita que você se preocupe com a opinião dos outros.

☹ "O que está havendo com essa menina? Ir ao médico não é tão ruim assim."
Presumir que há algo errado com a criança é um exagero e torna o problema insolúvel.
☺ "Qual o problema de ela ter medo de ir ao médico? Um pouco de prudência é sempre bom."
Reconhecer as vantagens da prudência aumenta a sua capacidade de tolerar a prevenção da criança.

Conversando com seu filho

Não ceda. Não diga: **"Você está com tanto medo de ir ao médico que está até tremendo. Vou cancelar a consulta."**
Evitar eventos assustadores não vai ajudar a criança a lidar com eles. Além disso, é uma atitude irresponsável pôr em risco a saúde de uma criança em função de um bem-intencionado esforço para protegê-la.
Redirecione o foco dela. Diga: **"Eu sei que você não quer ir, mas o médico ajuda você a ter saúde. Vamos pensar em coisas divertidas para fazer no consultório."**
Desvie a atenção da criança para os livros, os brinquedos e as revistas que ela poderá encontrar no consultório médico. Fazer a criança mudar de foco vai ensiná-la a lidar com outras situações desagradáveis na vida.

Não rotule. Não diga: **"Deixe de se comportar como um bebê. O médico não vai machucá-la."**
Chamar seu filho de bebê demonstra menosprezo pelos medos dele e sinaliza que você não acredita que ele pode lidar com o desafio. Essas mensagens minam todo o esforço para motivá-lo a cooperar.

Faça perguntas. Diga: **"Por que você não gosta da idéia de ir ao médico?"**

Pedir à criança que expresse seus pensamentos ajuda você a compreender os medos dela. Essa atitude também demonstra empatia e sinaliza que você está tentando descobrir o que a incomoda. Ela se sentirá motivada a cooperar.

Não humilhe. Não diga: **"O médico não gosta de crianças choronas."**

Humilhar a criança demonstra que ela é inconveniente e indigna de ser amada só porque sente medo. Essa atitude também sinaliza que ela é o que sente e que, portanto, não pode se tornar uma pessoa corajosa. Esses são mitos que você não deseja criar.

Reafirme a capacidade dela. Diga: **"Eu entendo que você não queira ir ao médico, mas você é valente e forte o bastante para lidar com a situação."**

Dizer à criança que ela é valente e capaz de lidar com a situação atenua o medo dela e a incentiva a enfrentar outros eventos que a assustem.

Não use a culpa. Não diga: **"Você tem de ir ao médico, ou vai ficar doente de verdade. Faça isso por mim."**

Usar a culpa para motivar a cooperação é uma receita infalível para o desastre. A criança vai temer não apenas o que pode acontecer se ela não for ao médico, como também a possibilidade de perder o amor e a aprovação dos pais se não atender ao pedido.

Mude o foco. Diga: **"Quando terminarmos o seu exame, poderemos almoçar na casa da vovó. Ela adora as suas visitas."**

Enxergar além da tarefa imediata, concentrando-se num evento positivo que vai vir em seguida, pode ajudar a criança a vencer o medo.

CAPÍTULO 17

"Não quero tomar remédio!"

Você sabe que o remédio que seu filho precisa tomar tem um cheiro ruim e um gosto horrível. O que você faz? Talvez se sinta tentado a mentir para ele e dizer que o tal remédio é delicioso e divertido de tomar, mas é melhor minimizar o sofrimento da criança oferecendo a cada gole uma bebida saborosa ou algum alimento que disfarce o sabor. Contribuir para a solução coloca você e seu filho do mesmo lado, e a cooperação é uma conseqüência dessa feliz aliança.

Dicas úteis

- Tente sempre se colocar no lugar da criança para compreender como ela se sente e lembre-se de dar muitos abraços junto com o remédio.
- Pergunte ao pediatra se o remédio que seu filho precisa tomar está disponível num sabor mais agradável ou numa forma mais fácil de ser ingerida.
- Evite reclamar de ter de tomar os seus próprios medicamentos.
- Se seu filho tiver dificuldade para engolir o remédio ou engasgar ao engolir, torne-o mais palatável misturando-o na comida (se não houver contra-indicação), usando uma colher especial, criando um jogo ou usando uma seringa oral. Converse com o seu médico caso tenha alguma dúvida a respeito de como seu filho deve tomar o remédio.

Autoconversação

☹ "Não vou forçar meu filho a tomar algo de que ele não gosta."
Recusar-se a seguir o tratamento prescrito pelo médico pode prejudicar a saúde de seu filho e levá-lo a criar o hábito de não seguir as instruções de um especialista.
☺ "Minha função é ajudar meu filho a seguir as instruções do médico."
Tenha sempre em mente a saúde e a segurança de seu filho enquanto o ensina a lidar com as adversidades.

☹ "Ele vai tomar o remédio, nem que eu tenha de segurá-lo e enfiar tudo na garganta dele."
Usar a força não vai ajudar seu filho a aprender a cooperar. Essa atitude vai, sim, convencê-lo de que a agressividade é uma maneira aceitável de obter cooperação. Tomar remédio já é desagradável o bastante para a criança. Não piore ainda mais a situação usando a força.
☺ "Lamento que meu filho tenha de tomar um remédio de gosto ruim, mas sei que um pouco de desconforto é necessário às vezes."
É claro que você deseja proteger seu filho de qualquer sofrimento, mas ser responsável significa ajudar a criança a lidar com as dificuldades da vida.

Conversando com seu filho

Não ameace. Não diga: **"Se você cuspir esse remédio, eu vou bater em você. Engula!"**
Ameaçar agredir fisicamente a criança é uma demonstração de que o mundo é dos fortes. Além disso, ela vai se sentir desamparada ao perceber que não tem controle algum sobre a situação.
Faça um acordo. Diga: **"Quando você tiver engolido o remédio, poderá tomar um pouco de leite."**
A regra-batizada-por-vocês ajuda a criança a tolerar coisas desagradáveis e a adiar gratificações. Saber que depois do remédio virá algo saboroso pressupõe algum controle da situação.

Não ameace cortar privilégios. Não diga: **"Se você não tomar o seu remédio, não vai poder ver televisão hoje!"**

Essa medida não vai ensinar a criança a cooperar e tomar conta de si mesma. Só vai montar o cenário para uma guerra quando ela quiser assistir à TV.

Enfoque o positivo. Diga: **"Este remédio vai ajudar você a ficar bom. Cada vez que o tomar, você vai se sentir melhor."**

Se você realçar a importante ligação entre remédio e saúde – e usar o poder da sugestão –, vai ajudar seu filho a ser mais cooperativo. Ele também vai aprender que pode colaborar para se manter saudável.

Não deprecie. Não diga: **"Deixe de ser bobo. Agora, tome o remédio."**

Sugerir que a falta de esperteza de seu filho está impedindo que ele coopere cria três problemas: deixa-o preocupado por achar que você o considera um bobo, faz com que ele se sinta mal com ele mesmo e aumenta a resistência a ingerir o remédio.

Reafirme o valor da criança. Diga: **"Sinto muito que você não goste do remédio, mas sei que você é valente e forte e vai conseguir tomá-lo direitinho."**

Reafirmar a força e a coragem de seu filho o leva a querer provar para você e para si mesmo que ele possui tais qualidades. Todos ganham: o remédio desce e a auto-imagem sobe.

CAPÍTULO 18

"Não quero tomar injeção!"

Você se lembra de seus medos da infância? Daquela sensação ruim quando sabia que ia tomar uma injeção? Tenha essa lembrança em mente ao reagir, calma e amorosamente, aos protestos da criança. Embora ela não tenha escolha, você pode demonstrar empatia com os medos dela, enquanto tenta encorajá-la e acalmá-la. Se possível, peça ao médico ou à enfermeira que aplique um anestésico de uso tópico para diminuir a sensibilidade à picada da agulha. A crença de que a dor molda o caráter é falsa. Pesquisas recentes mostram que a dor física na infância pode fazer com que as crianças reajam exageradamente a injeções e a outros procedimentos dolorosos no futuro.

Dicas úteis

- Se possível, escolha um médico ou uma enfermeira com habilidade para aplicar injeção e que saiba lidar com crianças.
- Evite contar à criança histórias aterrorizantes de quando você tomou injeções, mas seja honesto a respeito de como nos sentimos. Não ponha em risco a confiança que seu filho deposita em você afirmando que o procedimento é indolor.
- Veja se seu médico possui recursos para distrair a criança durante a injeção, como soprar bolinhas de sabão.

Autoconversação

☹ "Ficar olhando minha filha tomar injeção me faz passar mal."

Reforçar o seu próprio medo de agulhas é uma garantia de que você não será capaz de ajudar a criança nos momentos difíceis, em que ela mais precisa de você.

☺ "Preciso vencer o meu próprio medo de injeções para ajudar minha filha a vencer os medos dela."

A maior parte do sofrimento vem da expectativa e não da injeção.

☹ "Isso é terrível! Não posso deixar minha filha sofrer assim."

Não é para tanto; injeção dói, mas todos sobrevivem a ela. Não aumente sua angústia. Recusar a injeção não trará benefícios a ninguém.

☺ "Ajudar minha filha a superar o medo da injeção é minha responsabilidade como mãe."

A sua função é ajudar a criança a lidar com os próprios medos, reconfortá-la e dar a ela a certeza de que você estará sempre ao seu lado.

Conversando com seu filho

Não use a culpa. Não diga: **"Faça isso pela mamãe."**

Usar a culpa vai ensinar a criança a executar tarefas somente para evitar que os pais fiquem insatisfeitos.

Seja positivo. Diga: **"Eu sei que você não quer tomar injeção, mas é muito importante manter a sua saúde."**

Faça a criança concentrar-se nos benefícios da injeção.

Não humilhe. Não diga: **"Não seja medroso como o seu pai."**

Ao criticar o outro responsável da criança, você a força a tomar o partido de um dos dois. Ela vai pensar: "Não quero ser como o papai!" e vai cooperar somente para ficar do lado considerado bom.

Elogie. Diga: **"Sei que você é valente e forte e que é capaz de tomar injeção para não ficar doente."**

Reafirmar a coragem da criança vai estimulá-la a vencer o medo.

Não minta. Não diga: **"Injeções não doem. Não sei por que você está criando tanta confusão."**

Mentir para a criança e menosprezar os medos dela são atitudes que criam dois problemas: a confiança que ela tem nos pais fica abalada e você demonstra que não se importa com os sentimentos dela. Seja honesto. Diga: **"Eu sei que tomar injeção dói um pouco, mas não demora muito. Vamos soprar bolhas de sabão enquanto você toma a injeção; você vai se sentir melhor num segundo."** Reconheça, amorosamente, a situação que a criança está enfrentando. O seu apoio físico e emocional vai ajudá-la a acreditar que você vai lhe dizer sempre a verdade e que estará ao lado dela em todos os momentos.

CAPÍTULO 19

"Não quero passar protetor solar!"

Para algumas crianças de 5 anos, passar uma quantidade generosa de um protetor solar gorduroso e com cheiro forte (o mesmo caso do repelente de insetos) é um pesadelo! Embora seu filho proteste, você estará fazendo um favor a ambos criando uma regra sobre o uso desse produto. Assegure-se de que você pratica o que prega, permitindo que a criança passe protetor solar em você.

Dicas úteis

- Escolha um protetor solar (ou repelente de insetos) que seja eficaz e seguro para crianças pequenas.
- Estabeleça regras sobre quando e onde seu filho precisa usar protetor solar e/ou repelente de insetos.

Autoconversação

☹ "Odeio quando ele começa a se jogar enquanto tento passar o protetor solar."

Dizer a si mesmo que odeia o comportamento de seu filho vai deixar você frustrado e zangado, além de prejudicar a sua capacidade de pensar criativamente.

☺ "Sou capaz de lidar com um pouco de resistência."

A sua capacidade de lidar com determinada situação depende da postura que você adota, por isso escolha com sabedoria.

Conversando com seu filho

Não desista. Não diga: **"Estou cansado dessas brigas por causa do protetor solar. Se você se queimar, torrar no sol, talvez aprenda uma lição."**

Conseqüências naturais costumam ser bons motivadores, mas algumas vezes elas são perigosas demais. Essa é uma dessas situações. Dizer a seu filho que você não se importa que o sol o queime envia a mensagem de que você não se preocupa o suficiente com ele para determinar que a regra seja cumprida.

Relembre a regra. Diga: **"O que diz a regra a respeito de ir à praia?"**

Pedir à criança que repita a regra não apenas recorda a sua recomendação como ajuda a internalizar o comportamento. Com o passar do tempo, ele se tornará um hábito que não precisará mais ser lembrado.

Não suborne. Não diga: **"Se você me deixar passar o protetor, vamos comprar uma coisa gostosa para você comer."**

Subornar leva a crer que a cooperação tem um preço. Essa atitude também ensina que é certo manipular os outros "comprando" obediência.

Faça um acordo. Diga: **"Quando tivermos passado o protetor, você poderá entrar na piscina."**

Estabelecer uma condição justa ajuda os dois a cederem para alcançar um objetivo – primeiro o seu; depois o dele.

Não use o medo. Não diga: **"Se você não passar o protetor, vai ficar doente!"**

Ameaçar com conseqüências tenebrosas pode motivar seu filho a fazer o que você quer pelo medo, mas não é uma atitude que o ensina a se proteger.

Seja positivo. Diga: **"O sol queima a nossa pele, por isso ela precisa de proteção. Se usarmos o protetor, ficaremos seguros e saudáveis."**

Chamar a atenção de seu filho para os cuidados com o próprio corpo ajuda a desenvolver hábitos saudáveis.

CAPÍTULO 20

"Não quero usar óculos!"

Quem deseja pôr no rosto algo que cai do nariz, despenteia os cabelos e fica manchado quando você o toca? Certamente, não uma menina de 5 anos! Óculos podem estar na moda para adultos, mas, para crianças, principalmente as pequenas, muitas vezes são sinônimo de problema. Mantenha uma atitude positiva e uma boa reserva de elogios para motivar a criança a entender que os óculos são como janelas pelas quais ela vai enxergar o mundo.

Dicas úteis

- Estabeleça regras sobre quando a criança deve usar os óculos.
- Evite reclamar de ter de usar óculos ou de como eles custam caro. Sua atitude é contagiosa.
- Elogie os óculos de outras pessoas para que a criança perceba que você os considera bonitos e modernos.

Autoconversação

☹ "Ela está sempre reclamando, mesmo que seja sobre algo tão inofensivo como óculos. Estou cansado demais para brigar por causa disso."

A reclamação é sobre os óculos e não sobre todo o resto. Não desista quando se trata da saúde e da segurança de seus filhos. Coloque o bem-estar deles acima de tudo.

☺ "Ajudar minha filha a se acostumar a usar óculos é minha responsabilidade."

Tenha sempre em mente as necessidades da criança, enquanto procura estimulá-la a usar os óculos. Lembre-a de que ela precisa usá-los para enxergar o mundo com clareza e segurança.

Conversando com seu filho

Não use a culpa. Não diga: **"Eu paguei uma fortuna por esses óculos; agora você vai ter de usá-los."**

Não espere que seu filho faça o que lhe pede só para *você* se sentir bem.

Deixe que se expresse. Diga: **"Do que você não gosta nos óculos?"**

Pedir a opinião de seu filho pode lhe trazer informações sobre o modo de pensar dele e ajudar você a desenvolver um plano para estimular a cooperação. Se a criança disser, por exemplo, "Eles me machucam", você pode ajustar a armação no ponto que está causando o problema.

Não assuste a criança. Não diga: **"Se você não usar os óculos, vai cair na escada e se machucar."**

Fazer previsões tenebrosas, caso a criança não siga as suas instruções, faz com que ela use os óculos por medo e não porque eles irão ajudá-la a explorar o mundo.

Faça um jogo. Diga: **"Vamos ver por quanto tempo você consegue usar os óculos sem tirar. Vou armar o cronômetro e você vai usar os óculos até ele tocar."**

Estabelecer metas ajuda a criança a crescer com o hábito de usar óculos. Vá aumentando gradualmente o tempo de uso, dia após dia. Em pouco tempo, ela ficará com eles o dia inteiro!

Não ignore os sentimentos da criança. Não diga: **"Não me importa que seus colegas riam de você. Não quero nem ouvir falar nisso!"**

A sua falta de empatia vai destruir o desejo da criança de cooperar, além de sinalizar que ela está sozinha nesse processo.

Seja positivo. Diga: **"Eu sei que você não gosta de usar óculos, mas você enxerga tudo muito melhor quando está com eles."**

Destacar os benefícios de seu pedido desvia a atenção do desconforto temporário que seu filho sente. Mostre que você está do lado dele.

QUINTA PARTE

ROTINAS DE LIMPEZA

O tédio resulta da rotina.
Alegria, assombro e êxtase resultam da surpresa.
LEO BUSCAGLIA

CAPÍTULO 21

"Não quero tomar banho!" "Não vou sair da banheira!"

Convencer o filho a entrar no banho pode ser uma das tarefas mais difíceis do cotidiano familiar. E o pior – depois de horas de blablablá sobre a importância da limpeza, os cheiros ruins que ficam no nosso corpo quando não o limpamos, os brinquedos que não vão fugir enquanto a criança está no chuveiro – é, por fim, conseguir fazer a criança entrar no banho e ouvir: "A água está uma delícia!" E que dali ela não quer sair! Pronto: pode ser o recomeço de toda a lengalenga, se assim deixarem os pais. Fazer o quê? Continuar argumentando, sempre se colocando no lugar da criança, e oferecendo muito prazer em ambas as situações: na entrada – propondo brincadeiras debaixo d'água – e na saída, fornecendo toalhas e muitos abraços, garantindo assim aconchego e segurança.

Dicas úteis

- Comece a rotina do banho bem cedo para dar tempo à criança de acabar o que está fazendo antes de entrar no banheiro. E para não ter de apressá-la durante o banho e diminuir seu divertimento na água.
- Estabeleça um limite para o tempo na banheira e use um cronômetro para reforçar esse limite.
- *Nunca* deixe crianças pequenas sozinhas na banheira, nem por alguns segundos.
- Regule a temperatura do aquecedor para evitar a possibilidade de queimaduras com a água do banho.

Autoconversação

☹ "Não tenho forças para ficar batalhando para meu filho tomar banho hoje."

Não entre nessa! Um pensamento dessa natureza estabelece expectativas de que a hora do banho será estressante e impede você de juntar força e paciência para lidar com a situação. Se você já antecipa que vai haver uma guerra, ela provavelmente acontecerá.

☺ "Minha função é ensinar minha filha a cooperar. Uma solução conciliatória vai ajudá-la a aprender a se comportar no banho."

Dê mais alguns minutos para a diversão, mas avise à criança que o tempo dela está acabando.

☹ "Tenho muita coisa para fazer. Não posso ficar esse tempo todo observando minha filha brincar na banheira."

Colocar seus planos à frente dos planos da criança impede que você se concentre nela quando estiver ao seu lado. A tendência é a criança apresentar uma resistência aos seus apelos para atrair sua atenção.

☺ "Eu compreendo o desejo dela de divertir-se na água."

A sua empatia com as necessidades e os desejos da criança permite que você tenha um bom relacionamento com ela. Essa atitude positiva estimula a cooperação.

Conversando com seu filho

Não ameace. Não diga: **"Entre no banho AGORA, antes que eu lhe dê umas palmadas."**

Não ameace machucar a criança! Essa atitude pode levar a resultados imediatos, mas a dor – emocional e física – é um preço alto demais a ser pago.

Use o cronômetro. Diga: **"Quando o cronômetro tocar, será hora de você ir para o chuveiro, e lá brincaremos com todos os bichinhos que esguicham água."**

O cronômetro administra a situação, e os brinquedos funcionam como um incentivo para a criança entrar no chuveiro e se concentrar em outra atividade. Você pode usar o mesmo recurso para facilitar a saída do banho, sugerindo uma brincadeira "seca", como ler um livro ou montar um quebra-cabeça.

Não fique zangado. Não diga: **"Estou ficando uma fera. É melhor você sair dessa banheira antes que eu perca a paciência."**
Ficar zangado não vai ensinar seu filho a cooperar nem vai ser um exemplo do autocontrole que você deseja que ele desenvolva.
Mostre as conseqüências. Diga: **"Que pena que você demorou demais na banheira. Agora não teremos tempo para um lanche ou uma história."**
Permita que a criança sofra as conseqüências por não ter alcançado o objetivo proposto, mostrando que um determinado comportamento gera determinadas conseqüências.

CAPÍTULO 22

"Não quero escovar os dentes!"

Se seu filho resiste a escovar os dentes, saiba: os pequenos têm necessidade de controlar o próprio mundo. Deixe que ele perceba que manter os dentes e as gengivas saudáveis pode ser divertido e permita que ele mesmo escolha os produtos que vai usar.

Dicas úteis

- Sempre que possível, escove os seus dentes ao lado de seu filho para que ele se sinta motivado e aprenda como fazer.
- Encontre um odontopediatra que seja amável e que apóie os seus esforços para estimular uma boa higiene dental. Se possível, consulte mais de um profissional para escolher o que lida melhor com crianças pequenas.

Autoconversação

☹ "Não me importo se os dentes dele ficarem cheios de cáries. Não agüento brigar com esse menino todos os dias."
Optar por fugir do problema é ruim para a saúde de seu filho e não o ensina a cooperar.

☺ "Preciso ter sempre em mente o meu objetivo."
Priorizar o objetivo de longo prazo (ensinar bons hábitos de higiene bucal) ajuda você a não supervalorizar as pequenas batalhas.

Conversando com seu filho

Não fique zangado. Não diga: "Estou cansado de você não querer escovar os dentes. Não saia até ter terminado."

Forçar a situação vai resultar em maior resistência. Faça paz, não faça guerra!

Ofereça escolhas. Diga: "Eu compreendo que você não goste de escovar os dentes, mas é muito importante mantê-los limpos e saudáveis. Você quer que eu o ajude a escovar ou prefere fazer isso sozinho?"

Uma abordagem complacente pode abrandar a resistência da criança. Vocês devem trabalhar em conjunto para alcançar o objetivo dela (ter algum controle) e também o seu (que os dentes dela fiquem limpos).

CAPÍTULO 23

"Não quero cortar o cabelo!"

Aquelas tesouras afiadas. Aquela cadeira grande e assustadora. Aquele metal frio tocando a pele. Cortar o cabelo pode ser um pesadelo para uma menina de 2 anos. Ponha-se no lugar dela para entender por que ela protesta tanto quando vai ao salão. Tente descobrir a pessoa certa para essa tarefa (barbeiro, cabeleireiro, um amigo ou você mesmo). Transforme o medo em diversão.

Dicas úteis

- Brinque de cabeleireiro em casa para familiarizar a criança com a prática.
- Fale sobre como é divertido ir ao cabeleireiro – a tesoura fazendo cócegas no pescoço, por exemplo.
- Assegure-se de que a pessoa que vai cortar o cabelo da criança é experiente, paciente e amorosa.
- Permaneça ao lado dela durante o corte para que ela se sinta segura.

Autoconversação

☹ "Por que minha filha faz isso? Queria que ela me obedecesse."
Evite levar a resistência da criança para o campo pessoal. Você vira uma vítima, não consegue se concentrar nas necessidades da criança nem encontrar maneiras criativas de ajudá-la.

☺ "Posso lidar com o medo de minha filha de cortar o cabelo."
Essa afirmação ajuda você a encontrar uma solução. Você *consegue* ensiná-la a cooperar, mas primeiro precisa dizer a si mesmo que é capaz.

Conversando com seu filho

Não exija. Não diga: **"Sente-se na cadeira e corte logo o cabelo!"**
A sua falta de empatia com a criança diminui a habilidade dela de identificar e trabalhar as próprias emoções. Além disso, ela vai perder o respeito por você, o que vai aumentar o desejo de se rebelar.
Faça-a expressar o que sente. Diga: **"Como você se sente quando estão cortando o seu cabelo?"**
Pedir à criança que descreva os próprios sentimentos vai reafirmá-la como pessoa e mostra que você se preocupa com ela. Demonstre sempre que os sentimentos de seus filhos têm importância, em vez de assumir que os medos são "estranhos" ou "errados".

Não humilhe. Não diga: **"Você me deixa envergonhado quando cria a maior confusão no cabeleireiro."**
Essa atitude só vai aumentar o medo do seu filho.
Seja positivo. Diga: **"Vamos pensar em maneiras de você se divertir enquanto cortam o seu cabelo."**
Ensine a criança a desenvolver a atitude de transformar qualquer desafio numa oportunidade para encontrar soluções. Estimule-a a jogar com você enquanto corta o cabelo (qualquer jogo de palavras).

Não ofenda. Não diga: **"Está com medo? Como pode ser tão boba?"**
Como você se sentiria se alguém lhe dissesse isso? Humilhar a criança só vai aumentar o medo dela, além de ser uma demonstração de como debochar dos outros quando eles têm medo.
Aceite os sentimentos de seu filho. Diga: **"Eu compreendo que você tenha medo quando alguém corta o seu cabelo, mas sei que você é valente e forte e vai saber lidar com esse sentimento."**
Reforçar a valentia da criança aumenta sua confiança.

CAPÍTULO 24

"Não quero trocar a fralda!"

Que criança de 2 anos deseja parar de brincar só para trocar a fralda? Como essa briga provavelmente não parece necessária para ela, é sua função fazer com que a experiência se torne um exercício de cooperação. Algumas atividades são desejos; trocar a fralda é uma necessidade. Ensinar essa diferença é sua função.

Dicas úteis

👍 Observe se a criança apresenta assaduras ou outros problemas físicos que possam fazer com que a troca de fraldas cause dor. Trate do problema imediatamente ou consulte o seu médico.

👍 Distraia a criança com canções e rimas durante a troca, ou dê a ela um brinquedo especial para essa ocasião.

Autoconversação

☹ "Eu também não queria ter que trocar fraldas. Por que você dificulta tudo?"

Ver a si mesmo como vítima envia a mensagem de que *a criança* é a culpada por tornar sua vida tão difícil. Quando ela percebe o seu ressentimento, fica menos inclinada a atender a seus pedidos, porque deseja evitar, a todo custo, estar ao seu lado.

☺ "Sou capaz de lidar com mais alguns meses de troca de fraldas, mesmo que algumas vezes seja uma luta."

Essa afirmação vai ajudar você a administrar a resistência de seu filho com menos estresse.

☹ "Vou deixá-lo usar essa fralda até a pele dele ficar irritada. Ele mesmo vai querer trocá-la."

Esse tipo de pensamento é prejudicial à saúde de seu filho. Nunca aceite a possibilidade de deixar uma criança passar por um problema físico como resultado da resistência dela à cooperação.

☺ "Eu compreendo por que meu filho não gosta de trocar a fralda. Não preciso me preocupar com isso."

Interpretar a falta de cooperação como um problema da criança, e não seu, ajuda você a se concentrar nos sentimentos dela. É mais fácil ensinar uma criança a cooperar quando a raiva não inibe a habilidade dos pais de resolver o problema.

☹ "Preciso trocar a fralda dele antes que minha sogra chegue, ou ela vai pensar que não sou boa mãe."

Troque a fralda de seu filho quando for necessário e não porque alguém vai julgar você por não tê-lo feito. O seu foco deve estar nas necessidades de seu filho e não na opinião dos outros a seu respeito.

☺ "Não me importo com a opinião de minha sogra sobre minhas decisões como mãe."

Não leve em consideração as pressões externas para que você aja com seu filho dessa ou daquela maneira. Você só deve se preocupar com as necessidades da criança e de mais ninguém. O papel de educador exige que, ao lidar com os filhos, os pais confiem nos próprios instintos e na própria experiência.

Conversando com seu filho

Não ameace. Não diga: **"Pare de se jogar e gritar, ou vai levar um tapa."**

Quando você está frustrado, esse tipo de ameaça pode parecer uma boa maneira de conseguir a cooperação de seu filho. Entretanto, só serve para aumentar os medos infantis, levando a criança a gritar ainda mais ou a ficar paralisada para não irritar você.

Demonstre empatia. Diga: **"Eu sei que você não quer fazer isso** agora, mas é preciso. Vamos trocar a fralda bem depressa para que você possa voltar logo para os seus brinquedos."

Enfocar o divertimento que virá logo depois pode estimular a criança a cooperar. Além disso, fazer da troca de fraldas uma experiência agradável vai ajudar a reduzir a resistência. Veja a situação como uma oportunidade para abraçar, fazer cócegas e amar seu filho.

Não fique zangado. Não diga: **"Você está me deixando irritado. Agora fique quieto para se trocar!"**

Seu filho não é responsável pela sua raiva. Você é que é!

Demonstre empatia. Diga: **"Lamento que você não queira trocar a fralda, mas precisamos fazer isso. É importante manter o bumbum limpo."**

Mantenha-se firme em seu objetivo enquanto demonstra empatia com os sentimentos de seu filho. Ele vai confiar em suas palavras quando você lhe disser como é bom ficar limpo e seco e vai acreditar ainda mais quando sua explicação se mostrar verdadeira.

Não desista. Não diga: **"Não vou trocar sua fralda até seu bumbum ficar todo machucado. Aí você vai se arrepender."**

Desistir ensina seu filho a não lutar diante dos problemas, e dá a entender que você não se preocupa com ele o suficiente para ajudá-lo a evitar a dor das assaduras.

Ensine uma lição. Diga: **"Deixar que eu troque a sua fralda agora vai impedir que você tenha assaduras."**

Ajude seu filho a entender as conseqüências da troca de fraldas. Explique os benefícios de estar limpo e seco. Mostre que está pensando no bem dele e não o está afastando dos brinquedos por pura arbitrariedade. Trate-o como gostaria de ser tratado.

CAPÍTULO 25

"Não quero lavar as mãos!"

Para crianças pequenas, lavar as mãos pode ser uma tarefa difícil. A água vem depressa demais, elas não alcançam a torneira, o sabonete não pára de escorregar, o sabão líquido é difícil de manusear, etc. Não é à toa que resistem a lavar as mãos. Embora a pia de sua casa não tenha sido projetada para uma criança, seu filho precisa usá-la. Esse hábito deve ser parte inegociável da rotina de higiene.

Dicas úteis

- Estabeleça regras sobre quando e com que freqüência a criança deve lavar as mãos.
- Coloque um banquinho em cada banheiro para que ela possa subir e alcançar a torneira sem a sua ajuda.
- Sirva de exemplo e converse sobre a importância de estar sempre limpo e saudável.
- Supervisione quando a criança lavar as mãos para ter certeza de que ela está usando a água e o sabonete de maneira adequada. Não se esqueça de elogiá-la por um trabalho bem-feito.
- Evite assustar a criança com histórias sobre germes perigosos que vivem na pele das pessoas.

Autoconversação

☹ "Não agüento mais insistir para ela lavar as mãos antes do jantar." Não jogue a toalha! Desistir de ensinar uma criança a lavar as mãos pode trazer más conseqüências para a saúde dela.

☺ "Eu compreendo a relutância de minha filha em lavar as mãos. É difícil para ela abrir a torneira e manusear o sabonete."
Sua empatia com as dificuldades da criança estimula a cooperação dela.

Conversando com seu filho

Não se lamente. Não diga: **"Eu pedi a você educadamente seis vezes. Agora entre ali e faça o que eu mandei!"**
Pense que a criança pode precisar de alguns lembretes antes de fazer o que você lhe pede.
Relembre a regra. Diga: **"O que diz a regra sobre lavar as mãos quando vamos ao banheiro?"**
Essa é uma forma de reforçar o hábito. Com o passar do tempo, o comportamento vai se tornando automático.

Não ameace. Não diga: **"Se você não for lavar as mãos agora, vai ficar no quarto de castigo."**
Colocar a criança de castigo só vai deixá-la com menos vontade de lavar as mãos. Ela precisa ter prazer no hábito. E mais: como poderá aprender a lavar as mãos se está no quarto de castigo?
Elogie o comportamento cooperativo. Diga: **"Obrigado por lavar as mãos. Vou ajudá-la a fechar a torneira, se você quiser."**
Essa é uma boa forma de lembrá-la do objetivo e de encorajá-la.

Não ceda. Não diga: **"Não quero mais saber se você lava ou não as mãos, mas você vai se arrepender quando ficar doente."**
Sua falta de preocupação envia à criança uma mensagem negativa e não a ajuda a compreender a ligação entre lavar as mãos e ficar doente. Os filhos precisam saber que o amor dos pais é incondicional.
Relembre a regra. Diga: **"Sei que é chato lavar as mãos com fome, mas a regra diz que precisamos fazer isso antes de comer."**
Use a regra enquanto demonstra empatia e persistência. Seu filho vai aprender as lições que esse momento proporciona.

CAPÍTULO 26

"Não quero cortar as unhas!"

O medo de cortar as unhas começa, em geral, nos primeiros anos, quando uma ameaça de acidente já é o bastante para convencer a criança de que essa não é uma experiência agradável. Para anular a resistência dos pequenos, deixe que observem você cortar suas próprias unhas. Você pode também brincar de manicure para diminuir a ansiedade. Incorpore esses momentos na rotina de higiene da criança para que ela saiba que esse é mais um hábito inegociável.

Dicas úteis

- 👍 Não interrompa a atividade favorita de seu filho para cortar as unhas dele. Escolha horários como, por exemplo, logo depois do banho ou a hora de dormir.
- 👍 Evite tentar cortas as unhas de seu filho quando ele estiver cansado ou com fome. Será mais difícil para ele ficar quieto nesses momentos, o que aumenta as chances de um pequeno acidente.

Autoconversação

☹ "Meu filho é tão teimoso que algumas vezes é difícil gostar dele."
É importante separar a pessoa de seu filho do comportamento que ele adota. Você pode não gostar da recusa dele em cooperar, mas seu amor por ele é incondicional. Pode ter certeza de que ele sabe disso.
☺ "Eu posso não gostar da resistência dele quando tento cortar suas unhas, mas vou sempre adorar meu filho."
Repita essas palavras muitas e muitas vezes sempre que perceber que

está ficando irritado com a atitude de desacato do seu filho. Dessa maneira você vai se lembrar do que é mais importante.

Conversando com seu filho

Não seja agressivo. Não diga: **"Vou cortar suas unhas quer você queira ou não. Fique quieto."**

Esse tipo de autoridade ditatorial magoa todos os envolvidos.

Faça-o expressar o que sente. Diga: **"Tente me explicar por que você não quer que eu corte as suas unhas."**

Perguntar à criança o motivo de sua resistência ajuda você a compreender o modo de pensar dela, além de ser uma forma de validá-la como pessoa.

Não ameace. Não diga: **"Se você não me deixar cortar suas unhas, terá de passar o resto do dia em seu quarto."**

Quando a criança não coopera, é preciso mostrar como completar a tarefa e motivá-la a obedecer.

Faça um jogo. Diga: **"Vamos fazer o jogo da manicure. Vou preparar a mesa para que eu possa cortar suas unhas."**

Criar um jogo de cortar as unhas vai transformar a tarefa em diversão. Você pode conseguir qualquer coisa do seu filho se compartilharem uma experiência de amor, com muitas gargalhadas.

CAPÍTULO 27

"Não quero lavar o cabelo!"

Sabão nos olhos. Sabão nos ouvidos. Sabão na boca. Para que serve essa história de lavar o cabelo? Para uma criança de 3 anos, a idéia de manter os cabelos limpos não é suficiente para convencê-la a suportar todo o processo de lavagem. Quando ouvi-la choramingar, dizendo, por exemplo, "Não quero passar xampu", procure descobrir que parte do processo deixa a criança aborrecida. A partir daí, tente resolver o problema.

Dicas úteis

- Lave o cabelo da criança antes que ela esteja cansada demais, assim que ela entrar na banheira, para livrar-se logo do problema.
- Deixe que escolha o xampu, para ter algum controle da situação.
- Faça com que a criança segure uma toalha sobre os olhos e os ouvidos para evitar a entrada de água ou o sabão.
- Permita que ela enxágüe os cabelos com o chuveirinho ou um baldinho, para ter um papel ativo no processo.

Autoconversação

☹ "Não vou ligar se ela não lavar os cabelos."

Não evite uma tarefa só porque a criança demonstra resistência. Desistir só vai fazer mal à saúde dela e ainda vai ser um exemplo de falta de perseverança diante das adversidades.

☺ "Quero ajudar minha filha a lidar com coisas de que não gosta."

Ter sempre em mente o seu objetivo de longo prazo vai ajudá-lo a administrar a resistência da criança e a descobrir maneiras de motivá-la a cooperar. Isso não se aplica apenas a lavar os cabelos, mas também a pais e filhos descobrindo maneiras de trabalhar em conjunto.

☹ "Por que ela não pode simplesmente cooperar? Estou estressado demais para suportar essa tolice."

Exigir cooperação de seu filho pequeno é uma atitude fadada ao fracasso. Crianças foram "projetadas" para satisfazer as próprias necessidades e não para atender à vontade dos pais. Compreender que o comportamento delas faz parte da fase de desenvolvimento que atravessam é uma excelente maneira de reduzir o estresse.

☺ "Sei que ela não gosta de ter água e xampu no rosto."

Sua empatia vai permitir que você demonstre paciência e amor, duas qualidades que ajudarão a criança a suportar esse incômodo.

Conversando com seu filho

Não seja desrespeitoso. Não diga: **"Não quero nem saber se você tem medo de água e sabão. Isso é problema seu."**

Embora você esteja determinado a lavar os cabelos de seu filho, não use esse tipo de linguagem. A sua falta de empatia sinaliza que você não o apóia quando ele está temeroso.

Seja prestativo. Diga: **"Sei que você não gosta de lavar os cabelos, mas é preciso. Terei cuidado para o xampu não cair nos seus olhos."**

Mostre à criança que você está do lado dela. Tudo é possível quando ela sente que tem o seu apoio.

Não menospreze os sentimentos de seu filho. Não diga: **"Por que você está chorando? Que bobagem! Eu só vou lavar os seus cabelos!"**

A criança acha que está prestes a ser machucada. Dizer a ela que está sendo boba é menosprezar os sentimentos dela e aumentar a resistência.

Ofereça soluções. Diga: **"Eu sei que você tem medo de que caia sabão nos olhos. Use a toalha para protegê-los."**

Diga à criança que você compreende os medos dela e que você vai protegê-la de qualquer mal – e faça-o.

CAPÍTULO 28

"Não quero assoar o nariz!"

Você mal pode acreditar no que ouve. Entre tantas coisas que seu filho de 3 anos não quer fazer, por que assoar o nariz tem de ser uma delas? Ele pode alegar que isso o amedronta ("Meu nariz pode cair!"), que é asqueroso ("É tão nojento!") ou desconfortável ("Ai, isso dói!"). Seja qual for a reação dele, sua função é, gentilmente, encorajá-lo a aprender outra importante habilidade. Com o passar do tempo, o medo vai acabar desaparecendo, assim como a sujeira do nariz.

Dicas úteis

👍 Prefira sempre os lenços de papel mais macios.
👍 Mantenha lenços de papel ao alcance da mão da criança.
👍 Mostre ao seu filho como assoar o nariz.

Autoconversação

☹ "O que há de tão difícil em assoar o nariz?"
Não ter capacidade ou disposição para enxergar o mundo pelo olhar de seu filho vai impedir que você o ajude a cooperar.
☺ "Eu compreendo a relutância dele em assoar o nariz já tão vermelho e inchado."
Demonstre compreensão pelos sentimentos de seu filho. Quando ele souber que você está do lado dele, ficará mais inclinado a fazer o que você lhe pede.

☹ "Não quero nem saber se o nariz dele está escorrendo. Estou cansado de ficar brigando para assoar o nariz."

Você pode enxergar a função de pai e mãe como um insuportável ciclo de aborrecimentos e provocações ou pode vê-la como uma série de aprendizados interessantes sobre o comportamento humano. Optar pela segunda perspectiva será mais útil para ensinar seu filho a cooperar.

☺ "Preciso ajudar meu filho a desenvolver bons hábitos de higiene."

Não se aborreça com problemas menores. Seu objetivo é apenas este: ensinar seu filho. E o que o seu filho quer é evitar qualquer desconforto. Vocês só chegarão ao mesmo lugar trabalhando juntos.

Conversando com seu filho

Não humilhe. Não diga: **"Seu nariz está nojento. Pegue um lenço e se limpe agora mesmo."**

Não diga a seu filho que o nariz dele lhe dá nojo, ainda que isso seja verdade. É importante guardar para si mesmo as opiniões negativas e evitar ferir os sentimentos da criança.

Demonstre empatia. Diga: **"Eu compreendo que você não queira assoar o nariz. Mas não é bom para a sua saúde deixá-lo escorrendo."**

Não há motivos para uma disputa de poder. Mantenha uma caixa de lenços de papel sempre à mão, continue a ajudar seu filho a limpar e assoar o nariz e dê a ele muito amor e carinho.

Não use o medo. Não diga: **"Ninguém vai gostar de você se o seu nariz estiver escorrendo."**

Não minta para chocar seu filho e levá-lo a cooperar. Essa atitude o ensina a exagerar para chamar atenção.

Elogie o comportamento cooperativo. Diga: **"Obrigado por pegar um lenço de papel. Você vai sentir um grande alívio quando seu nariz estiver limpo."**

Elogiar a criança por *qualquer* cooperação estimula-a a prosseguir com esse comportamento. A atenção positiva deixa a criança orgulhosa de suas conquistas.

CAPÍTULO 29

"Não quero pentear o cabelo!"

O dia segue em perfeita harmonia até que você menciona que os cabelos de sua filha de 3 anos precisam ser penteados. Ela grita. Sai correndo para bem longe. A guerra começa! Evite essa queda-de-braço: ensine à criança como lidar de forma diferente com o ato de pentear os cabelos. O primeiro passo é entendê-la: talvez ela não queira ficar sentada ou suportar a dor de um grampo arranhando sua cabeça. Assim sendo, procure fazer com que ela ajude a decidir que grampos ou pregadores vai usar, onde vai usá-los, se prefere pente ou escova, etc.

Dicas úteis

- Estabeleça a regra de que os cabelos precisam ser penteados todos os dias.
- Reserve um bom tempo para arrumar os cabelos da criança sem ter de fazer isso correndo.
- Selecione pentes e escovas que sejam fáceis de usar.
- Deixe que a criança participe da escolha do estilo de cabelo que vai usar.

Autoconversação

☹ "Não quero que minha filha fique zangada comigo, por isso não vou mais arrumar os cabelos dela."

Sentir empatia com a criança é bom, mas não deixe que isso interfira no que é melhor para ela. Evite uma abordagem do tipo "ou tudo ou nada" quando ela protestar contra os seus esforços. A resistência dela não é a você; é ao fato de não ter controle suficiente (ou ao uso da escova, que machuca a cabeça dela).

☺ "Não vou julgar a mim mesmo como pai (ou mãe) baseado em como minha filha lida com as regras que estabeleço para ela."

Mantenha a sua auto-estima separada do comportamento da criança. Isso vai ajudá-lo a evitar ansiedades desnecessárias e a manter uma atitude relaxada para administrar os protestos dela. A criança pode não amar as regras sempre, mas ama você.

☹ "Minha filha ficaria linda se me deixasse pentear o cabelo dela como minha mãe fazia comigo."

É ótimo tentar fazer um penteado bonito, mas evite comparar-se com sua filha. O que funcionava com você pode não agradar a sua criança.

☺ "Não é porque eu gostava que minha mãe me penteasse que minha filha também tem de gostar."

Sua filha não é você, as coisas das quais ela gosta ou desgosta não têm de ser as mesmas. Faça sugestões, mas deixe que ela decida.

☹ "Não posso deixá-la ir à escola com os cabelos desse jeito!"

Preocupar-se com o que vão pensar de sua filha é perda de tempo. O que realmente importa é como a criança se sente em relação ao próprio cabelo.

☺ "Minha filha precisa aprender a se decidir a respeito do cabelo dela."

Compreender que a criança precisa satisfazer as próprias necessidades pode ajudar você a prepará-la para tomar decisões inteligentes pelo resto da vida. Ouça as opiniões dela e valorize-as sempre que possível. Os cabelos são *dela*, não seus.

Conversando com seu filho

Não use a culpa. Não diga: **"Tomara que você também tenha uma filha que faça essa confusão por causa dos cabelos."**

Praguejar não vai ensinar a criança a cooperar. Pelo contrário, envia a mensagem pouco saudável de que as atitudes dela devem sempre agradar a você.

Relembre a regra. Diga: **"A regra diz que seu cabelo precisa ser arrumado antes de você ir para a casa do papai."**

Responsabilizar a regra faz com que a criança concentre-se nela.

Não leve a situação para o lado pessoal. Não diga: **"Acho que não consigo fazer nada certo."**

A recusa da criança em cooperar não põe em xeque suas habilidades como pai ou mãe nem tampouco como cabeleireiro. Simplesmente significa que a criança deseja dar alguma opinião sobre o estilo de cabelo que quer usar.

Faça um jogo. Diga: **"Vamos brincar de salão de beleza. Você penteia meu cabelo, e eu penteio o seu."**

Transformar a tarefa de pentear os cabelos numa brincadeira divertida reduz o conflito e faz com que a criança participe ativamente da tomada de decisão e da tarefa em si.

Não deprecie. Não diga: **"Tudo bem! Use esse prendedor ridículo."**

Não desista de ajudar a criança a aprimorar o hábito de manter uma boa aparência.

Elogie o comportamento cooperativo. Diga: **"Obrigado por sentar-se quietinha enquanto penteio seu cabelo."**

Nada motiva mais uma criança do que a aprovação e o apoio dos pais.

Não use a raiva. Não diga: **"Pare de gritar! Você está me deixando louca!"**

Dizer à criança que a resistência dela é responsável por sua raiva diminui a habilidade dela de sentir empatia com os outros. Ela não vai entender a sua posição porque tentará defender-se colocando a culpa em você por machucá-la. Lembre-se, *você* controla a sua própria raiva.

Faça um acordo. Diga: **"Quando tivermos acabado de pentear seus cabelos, você vai poder brincar à vontade."**

A "regra-batizada-por-vocês" ensina à criança que ela deve primeiro fazer o que é necessário para depois poder fazer o que quer.

SEXTA PARTE

SAIR DE CASA

O caminho é longo – vamos percorrê-lo juntos. O caminho é difícil – vamos ajudar uns ao outros. O caminho é prazeroso – vamos compartilhá-lo. O caminho é só nosso vamos percorrê-lo com amor.

JOYCE HUNTER

CAPÍTULO 30

"Não quero ir embora agora!"

O almoço está agradável, a conversa, ótima, e a última coisa que você deseja fazer é ter que voltar ao trabalho. É assim que sua filha de 3 anos se sente quando você a chama para ir embora do parque ou da casa de uma amiga. Em vez de esperar que coopere imediatamente, dê a ela um tempo para se preparar para a saída: comece o processo de despedida vários minutos antes. Isso vai ajudá-la a ajustar-se a um mundo que nem sempre se move de acordo com os planos que ela faz.

Dicas úteis

- 👍 Explique a rotina de saída antes de ir a qualquer lugar, de maneira que a criança saiba o que esperar. Diga, por exemplo: "Cinco minutos antes da hora de ir embora, eu vou lhe avisar. Assim você terá tempo suficiente para dizer 'tchau' aos amigos, calçar os sapatos e ficar pronta para sair."
- 👍 Quando estiver se preparando para sair, ajude a criança a completar as tarefas pendentes, como calçar os sapatos, guardar os brinquedos, ir ao banheiro, etc.
- 👍 Seus comentários e sua atitude são contagiosos. Faça com que sejam sempre positivos para estimular a cooperação quando chegar a hora de ir embora.

Autoconversação

☹ "Não tolero a maneira como essa criança me desafia."

Essa afirmação desperta em você sentimentos de desamparo e fecha as portas para a descoberta de soluções. Também o deixa zangado, o que desestimula a cooperação da criança.

☺ "Sou capaz de lidar com a necessidade da minha filha."

Dizer a si mesmo que você consegue fazer algo aumenta sua autoconfiança. Essa postura abre a mente para várias soluções. Com esperança e empatia, interagimos com os filhos de forma positiva, o que é essencial para a cooperação.

☹ "Essas pessoas devem me achar um pai incompetente."

Não se preocupe com o que não pode controlar, como os pensamentos dos outros. E não se ache incompetente para não crer nisso, pois assim teria dificuldade de descobrir maneiras construtivas de monitorar o comportamento de seu filho.

☺ "Meu objetivo não é impressionar os outros."

Tenha sempre em mente o seu objetivo: ajudar seu filho a aprender a cooperar e a ser capaz de lidar com mudanças e com a frustração.

☹ "Ela me deixa maluco! Tenho medo da minha reação se ela não se preparar para ir embora agora!"

O comportamento de um filho não pode deixá-lo zangado; somente o que você *pensa* sobre esse comportamento pode causar tal reação. Se você exigir algo que não pode controlar, como a cooperação de uma criança, acabará ficando zangado. Somente ela pode optar por participar, por isso ajude-a a aprender a tomar tal decisão.

☺ "Não vou exigir que minha filha coopere. Só vai me deixar zangado."

Optar por ficar zangado bloqueia a sua habilidade de resolver problemas de uma maneira positiva. Pensar que você *gostaria* que a criança cooperasse abre a sua mente para maneiras criativas de encorajá-la a obedecer.

Conversando com seu filho

Não reclame. Não diga: **Por que você nunca faz o que eu lhe peço? Por mais que a gente fique, nunca é suficiente para você!"**

Esse ataque sugere que a criança tem uma falha inata de caráter e não um desejo de seguir os próprios planos, algo absolutamente normal na fase de desenvolvimento em que ela se encontra.

Dê instruções. Diga: **"Daqui a cinco minutos, será hora de ir embora. Vamos começar a guardar tudo agora."**

Relembrar à criança, de maneira gentil, como é a rotina de partida permite que ela termine suas atividades e se prepare para a mudança que está prestes a acontecer.

Não ameace. Não diga: **"Não responda 'não' para mim, menina! Se não tomar cuidado, vai levar uma surra!"**

Ameaçá-la fisicamente somente mostrará à criança que você é maior e mais forte e que a violência é uma forma aceitável de conseguirmos o que desejamos dos menores e dos mais fracos.

Use a empatia. Diga: **"Eu compreendo que você não queira ir embora agora, mas algumas vezes temos de fazer coisas que nos desagradam."**

Colocar-se no lugar da criança legitima os sentimentos dela e ajuda a obter cooperação. Reforça ainda o seu objetivo: manter seu horário e ensinar seu filho a lidar com decepções.

Não faça intrigas. Não diga: **"Espere até eu contar para o seu pai. Ele não vai ficar nem um pouco satisfeito com o seu comportamento."**

A intriga só ensina que a criança deve temer os pais e que a ameaça é uma forma de forçar a cooperação. A frase "Seu pai não vai gostar nada do seu comportamento" ensina ainda que o amor dos pais é relativo. E dizer que a criança está sendo teimosa expressa a idéia de que aquilo que ela faz determina quem ela é. Essas mensagens só servem para minar o relacionamento.

Faça uma brincadeira. Diga: **"Vou contar até dez. Vamos ver se você consegue calçar os sapatos antes que eu termine. Tudo pronto? Um, dois..."**

Desarme uma situação potencialmente explosiva fazendo uma brincadeira divertida. Isso vai mudar o foco da criança. Em vez de resistir, ela vai competir, e acabará se movendo na direção que você deseja. Se ela não terminar até chegar ao número dez, diga: "Desta vez você não conseguiu terminar a tempo. Vou ajudá-la agora. Da próxima vez você vai conseguir."

Não suborne. Não diga: **"Se você vier comigo agora, vamos parar na loja para comprar um presente."**

Subornar estimula a criança a recusar-se a cooperar até conseguir a promessa de uma gratificação material. Oferecer uma guloseima como recompensa complica ainda mais a situação ao ligar o alimento à aprovação dos pais, o que pode ocasionar, mais tarde, distúrbios alimentares.

Use uma conseqüência positiva. Diga: **"Aprontar-se logo significa que em breve poderemos voltar aqui."**

A cooperação é a chave para a criança conseguir fazer o que deseja no futuro, um importante primeiro passo para ensiná-la a adiar gratificações e tolerar frustrações temporárias.

CAPÍTULO 31

"Não quero entrar no carro!" "Não quero sair do carro!"

Seu filho de 4 anos está se debatendo, recusando-se a entrar no carro. Será que não quer usar o cinto de segurança? Está cansado ou com fome? Deseja ficar em casa e brincar? Talvez esteja com medo de ficar enjoado ou com dor de barriga, como costuma acontecer quando viaja de automóvel. Pergunte a seu filho o que ele está sentindo para que você possa resolver o problema e garantir uma viagem agradável para todos.

Quando seu filho se recusa a sair do carro, talvez esteja cumprindo uma rotina com muitos afazeres, estressante, num vaivém interminável. Essa pode ser a forma de ele pedir uma pausa. Ou talvez apenas deseje ficar em casa, ao seu lado. Pergunte o que se passa com ele para poder solucionar o problema.

Dicas úteis

- Evite fazer pequenas compras ou executar tarefas antes das refeições ou do horário da soneca. Se estiver planejando uma viagem mais longa, porém, talvez seja melhor fazê-la exatamente na hora da soneca, para que a criança durma durante o trajeto.
- Se você acha que seu filho se sente desconfortável no carro, faça com que ele tenha sempre ar fresco e uma boa visão da estrada, e ponha para tocar suas músicas favoritas.
- Estabeleça regras sobre o comportamento em relação ao carro para que seu filho saiba o que o espera quando chegarem ao destino.

Autoconversação

☹ "Além de tudo que já aturo, agora meu filho está sendo teimoso."
Encarar a sua vida como uma série de problemas fará você se sentir esmagado e estressado, uma vítima do mundo. Isso também vai criar condições para a autopiedade e a depressão. Os problemas sempre ficam piores com os exageros e os rótulos negativos.

☺ "A teimosia do meu filho não significa que ele sempre vai se comportar dessa maneira."
Adotar uma postura otimista transforma a teimosia do seu filho numa inconveniência temporária, o que liberta a sua mente para resolver o problema de maneira proativa e tranqüila.

☹ "Não vale a pena brigar. Vou desistir das coisas que tenho de fazer."
Abrir mão de suas tarefas por causa da resistência da criança ensina a ela que choramingar é a chave para conseguir o que deseja. Essa postura também sugere que é melhor desistir diante das adversidades.

☺ "Vou encontrar uma maneira de fazê-lo cooperar."
Ter uma atitude positiva serve de exemplo de paciência e perseverança para seu filho e ajuda você a resolver o problema.

☹ "Eu desisto! Vou deixá-lo dentro do carro."
Dizer a si mesmo que a situação não tem saída pode levá-lo a tomar uma atitude perigosa e irracional, como deixar a criança sozinha no carro. Nunca faça essa opção!

☺ "Ele pode ser teimoso algumas vezes, mas sua segurança é mais importante do que tudo."
Dizer a si mesmo que você pode lidar com frustrações aumenta as suas chances de consegui-lo. Ser um modelo de responsabilidade e de autocontrole ajudará seu filho a aprender essas habilidades.

☹ "Odeio começar o dia com uma briga para sair do carro."
Não se deixe contaminar pelas emoções negativas: é científico que elas impedem o fluxo do sangue para o coração e baixam sua imunidade.

☺ "A recusa de meu filho em sair do carro não significa que o dia já está perdido."
Compreender que eventos isolados não interferem no resto do dia mantém um panorama otimista e permite que você resolva o problema. Pensar positivo ajuda a clarear a mente.

Conversando com seu filho

Não intimide. Não diga: **"Entre no carro agora ou vai se arrepender."**
Ameaçar com a possibilidade de conseqüências tenebrosas sinaliza a seu filho que ele pode resistir até que o castigo seja iminente, o que não o ensina a cooperar. Essa atitude força você a cumprir o que prometeu caso a criança insista na desobediência. Se não o fizer, estará ensinando que o que você diz nem sempre é verdade. É melhor evitar ameaças para não ter a necessidade de cumpri-las.
Ofereça escolhas. Diga: **"Você pode escolher entre entrar no carro e divertir-se ou entrar no carro e sentir-se infeliz. Você decide."**
Se seu filho enxergar a situação como uma escolha própria, aprenderá que pode decidir como deseja se sentir. E praticará ainda a habilidade de lidar com aquilo de que não gosta.

Não suborne. Não diga: **"Se você entrar no carro agora, vou lhe dar um biscoito."**
Subornar com alimentos dá à comida o pernicioso poder de trazer felicidade. Essa atitude também mostra à criança que é possível conseguir uma recompensa por meio da resistência.
Faça um acordo. Diga: **"Quando você estiver sentado na sua cadeirinha, com a fivela presa, poderemos ouvir suas músicas favoritas e cantar juntos. Vai ser divertido."**
Usar a regra-batizada-por-vocês ensina a seu filho que ele pode ter o controle e obedecer ao mesmo tempo. Quando ele coopera, tem permissão para fazer as coisas que o divertem.

Não ameace. Não diga: **"Se você não entrar nesse carro agora mesmo, vou ter de lhe dar umas palmadas."**

Ameaças de castigo corporal ensinam a seu filho que a violência é uma conseqüência da falta de cooperação. Dizer que vai usar a violência também ensina a cooperar apenas para evitar o castigo, e não porque a cooperação ajuda a alcançar benefícios mútuos.

Faça perguntas. Diga: **"Eu sei que você não quer entrar no carro, mas não entendo por quê. Você pode me explicar?"**

Talvez você não saiba de algo que incomoda a criança e estará lhe dando a chance de dizer: pode ser o fato de não conseguir ficar na altura da janela e olhar para fora ou de sentir enjôo. Você também mostra que se importa com as opiniões dela e que está realmente feliz por ela se dispor a expressá-las. Quando descobrir o problema, poderá concentrar-se nele e não mais na postura de desobediência.

Não fique zangado. Não diga: **"Já lhe pedi, com a maior paciência, três vezes. Agora estou ficando zangado!"**

Ficar zangado ensina a criança a obedecer somente para evitar a raiva dos pais e não para trabalhar em equipe.

Seja positivo. Diga: **"Eu sei que você não quer ir embora, mas preciso trabalhar. Quando estiver sentado na cadeirinha, poderá se divertir com os brinquedos que estão no carro."**

Ajude seu filho a entender que alguns pedidos são inegociáveis, mas as situações podem ser divertidas assim mesmo. Brinquedos e livros especiais mantidos no carro oferecem incentivo para que a criança coopere.

Não implore. Não diga: **"Por favor, saia deste carro. Mamãe está cansada e não quer esperar."**

Súplicas não ensinam uma criança a cooperar. Na verdade, essa atitude pode encorajá-la a *não* obedecer às suas ordens somente para exercer poder e controle.

Ofereça escolhas. Diga: **"Você quer sair do carro sozinho ou quer que eu o ajude? Você decide."**

Oferecer escolhas a seu filho permite que ele exercite a tomada de decisões e dá a ele a sensação de poder e controle, duas importantes forças motivadoras.

Não humilhe. Não diga: **"Qual é o seu problema? Por que você nunca faz o que lhe pedem?"**

Dizer ao seu filho que ele tem uma falha de caráter porque deseja exercer controle sobre a própria vida pode levá-lo a ter uma visão pessimista de si mesmo e do mundo.

Use incentivos. Diga: **"Você ajuda tanto quando estamos no mercado. Vamos sair do carro para que você possa me ajudar a fazer as compras."**

Dar a seu filho um estímulo imediato para fazer o que você lhe pede pode motivá-lo a cooperar. Dizer que você valoriza a ajuda dele aumenta o desejo dele de colaborar.

CAPÍTULO 32

"Não quero sentar na cadeirinha do carro!"

Como você se sentiria se tivesse de ser amarrado a uma cadeira, sem entender por quê? Certamente, não teria interesse em cooperar! Por isso, antes de explicar, gentil e firmemente, que é muito importante para qualquer pessoa estar afivelada com segurança dentro de um automóvel, tenha sempre em mente como deve ser horrível para sua filha de 2 anos sentir-se "enjaulada". Ao mesmo tempo, você estará ensinando que certas regras são inegociáveis – sentar-se na cadeirinha do carro é uma delas.

Dicas úteis

- Crie regras para quando estiver no carro, principalmente sobre o fato de estar preso com segurança até chegar ao destino.
- Use sempre o seu cinto de segurança para que seu filho imite seus hábitos de proteção.
- Mantenha brinquedos especiais no carro para distrair a criança e desviar o foco de atenção dela do cinto de segurança.

Autoconversação

☹ "Não há problema em ela estar sem cinto. Dirijo com muito cuidado."
Esse tipo de desculpa coloca a segurança do seu filho em risco. Sua obrigação é zelar por ela.

☺ "Meu objetivo é ter certeza de que minha filha está em segurança, mesmo que ela não compreenda o perigo."

Ter sempre em mente os seus objetivos vai ajudá-lo a motivar seu filho a colocar a segurança em primeiro lugar.

☹ "Por que ela me desafia tanto? Acho que não entendo nada desse negócio de ser pai/mãe."
Culpar a si mesmo pelo comportamento dos filhos não vai ajudar a resolver o problema. Você não pode controlar o comportamento deles – somente eles podem fazê-lo. Você só pode controlar como *reage* a esse comportamento.
☺ "Acho que eu não iria gostar de ficar amarrado na cadeirinha. Isso deve fazer minha filha sentir-se impotente."
Pensar com empatia sobre a situação da criança ajuda você a compreender os sentimentos dela. Ela, por sua vez, vai se sentir mais inclinada a cooperar.

☹ "Minha mãe bem que me avisou que eu teria uma filha desafiadora."
Culpar as previsões dos avós pelo comportamento pouco cooperativo dos filhos é irracional. Essa atitude tira de seus ombros a responsabilidade de ensinar à criança um comportamento adequado e põe um rótulo nela. De tanto escutar, a criança pode acabar acreditando nisso.
☺ "Meu objetivo é ajudar minha filha a aprender a fazer as coisas que não deseja fazer."
Ao ajudar a criança, pacientemente, a entender por que é preciso ficar sentada na cadeirinha, você estará ensinando que cooperar é importante para que ela se mantenha em segurança.

Conversando com seu filho

Não faça mau uso da autoridade. Não diga: **"Se você não ficar na cadeirinha, o guarda vai prender você."**
Não use a polícia para ameaçar a criança e forçá-la a cooperar. Se ela não estiver bem segura usando o cinto de segurança, a responsabilidade é sua e de mais ninguém.

Relembre a regra. Diga: **"Sentar-se na cadeirinha é a regra. O carro só vai poder andar quando você obedecer a essa regra."**
Apelar para a regra coloca você e seu filho no mesmo time, reduzindo assim a possibilidade de brigas e reforçando a importante lição de que as regras governam nossas vidas.

Não fique zangado. Não diga: **"Entre no carro e fique na cadeira! Você não está querendo que eu me zangue de verdade, está?"**
Dizer à criança que ela é responsável por sua raiva faz com que ela se sinta culpada e destrói a capacidade dela de sentir empatia. Essa atitude também pode dar à criança uma indesejável e perniciosa sensação de poder sobre as emoções dos pais.
Elogie. Diga: **"Obrigado por sentar-se tão direitinho na cadeirinha. Fico feliz com sua cooperação."**
Elogiar o comportamento de seu filho ensina a ele que cooperação resulta em atençao positiva, algo que motiva todos os seres humanos.

Não suborne. Não diga: **"Se você ficar sentada na cadeirinha, vou lhe dar um pirulito."**
Subornar a criança para que ela obedeça às regras só a leva a aprender que deve ser recompensada por fazer o que lhe foi pedido.
Faça um acordo. Diga: **"Quando você se sentar, vamos ouvir aquela música que você adora."**
Esse exemplo da regra-batizada-por-vocês ensina que a cooperação gera conseqüências positivas para todos os envolvidos.

CAPÍTULO 33

"Não quero viajar de avião!"

Andar de avião, seja a primeira vez ou não, é uma experiência que gera ansiedade. O ideal é entender as razões da recusa da criança e conversar, inventar brincadeiras, apresentar outras soluções – sem ameaças, que só geram mais medo e não ajudam nada. E sem subornos, que ensinam que a não-cooperação traz recompensas.

Dicas úteis

- Antes de reservar seu vôo, reflita sobre a capacidade de seu filho de tolerar mudanças de horário, suportar a agitação do aeroporto, ficar sentado por várias horas preso à cadeira com um cinto de segurança e lidar com o medo de voar.
- Pense em outras opções de transporte, levando em consideração o tempo que levarão para chegar ao destino, além do custo e dos benefícios de cada uma delas. Pense também na necessidade de seu filho de ir ao banheiro com freqüência e em outras preocupações especiais.
- Preste atenção ao que você diz. Até comentários casuais sobre ter medo de voar podem ser contagiosos.

Autoconversação

☹ "O que eu fiz de errado para ter uma filha tão medrosa?"

Culpar a si mesmo pelos sentimentos dos filhos prepara você para uma vida inteira de culpa. Você não controla os sentimentos de uma criança; ela é quem os controla.

☺ "Não tenho culpa dos medos de minha filha."
Compreender que a criança é dona dos próprios sentimentos ajuda você a não se sentir culpado por esses sentimentos e legitima a sua habilidade de ajudá-la a superar os medos. É muito comum que pessoas de todas as idades tenham medo do desconhecido, principalmente quando se trata de eventos sobre os quais têm pouco ou nenhum controle.

☹ "Coitadinho do meu filho. Ele tem o mesmo medo que eu de andar de avião!"
Culpar a si mesmo pelos medos da criança não vai ajudar nenhum dos dois a vencê-los.
☺ "Lidar com o meu próprio medo de voar vai me ajudar a fazer meu filho vencer o medo que ele sente."
Conhecer suas próprias fraquezas e seus pontos fortes vai ajudá-lo a compreender melhor os sentimentos do seu filho.

☹ "Se não fizermos essa viagem, ele nunca será capaz de entrar num avião."
É irracional exigir que uma criança coopere por achar que, se não o fizer, ela nunca vai vencer o medo.
☺ "Meu objetivo é fazer com que meu filho lide com o medo de voar."
Faz parte do seu papel de pai-professor ajudar a criança a preparar-se para futuras viagens de avião.

Conversando com seu filho

Não isole a criança. Não diga: **"Ora, seja mais corajoso. Você precisa enfrentar seus medos."**
A abordagem do "ser mais corajoso" diz à criança que ela deve lidar sozinha com os próprios medos. Essa atitude não a ajuda a vencer seus temores.
Valorize a criança. Diga: **"Você é um ajudante maravilhoso com o**

bebê. Será que você poderia ficar de olho na sacola de fraldas, para termos certeza de que ela estará no avião conosco?"

Fazer de seu filho um ajudante faz com que ele mude o foco para algo positivo, além de aumentar a sensação da criança de controle sobre a situação. Essa atitude permite a ela participar de um trabalho em equipe. Ela vai cooperar porque vai se sentir necessária.

Não humilhe. Não diga: **"Não seja um bebê chorão!"**

Rotular uma criança de bebê chorão cria uma auto-imagem negativa e faz com que ela pense que tem falhas de caráter. Essa atitude a desestimula a abrir-se com você quando alguma coisa a preocupar.

Crie uma brincadeira. Diga: **"Vamos fingir que estamos viajando de avião. Você será o passageiro e eu serei o comissário de bordo, a pessoa que traz comidas e bebidas gostosas e nos ajuda a ficar em segurança enquanto voamos."**

Com essa troca de papéis, recriando o que se passa num avião, você pode mostrar à criança o que esperar da viagem. Isso vai ajudá-la a aplacar o medo. Encoraje-a: diga que ela é valente e forte e que tem capacidade para superar seus temores.

Não dê ultimatos. Não diga: **"Nós vamos entrar no avião e não se fala mais nisso."**

Dizer que não vai aceitar determinado comportamento polariza a situação e força a criança a ceder cada vez menos para proteger a própria posição.

Faça seu filho expressar o que sente. Diga: **"Conte-me qual é a sensação que você tem na barriga quando pensa em entrar naquele enorme avião."**

Se a criança descrever "borboletas" no estômago ou qualquer outra sensação que costuma ter quando está com medo, isso significa que a ansiedade está comandando a resistência. Ajude seu filho a compreender e dar nome aos próprios sentimentos. Esse é o primeiro passo para vencer o medo.

Não use a culpa. Não diga: "**Espere até a vovó saber que você não quis visitá-la. Ela vai ficar muito aborrecida.**"
Ameaçar seu filho de perder a aprovação dos avós não vai ensiná-lo a lidar com o medo; essa atitude irá apenas aumentar o sentimento de vergonha da criança.
Seja positivo. Diga: "**Voar num avião para visitar a vovó em sua nova casa vai ser uma grande aventura! Vamos nos divertir na praia e tentando descobrir o que a vovó guarda em suas gavetas secretas.**"
Conversar sobre todo o divertimento que terão pode ajudar a criança a lidar com o medo, levando-a a enxergar uma viagem de avião como um simples meio de alcançar um objetivo.

Não rotule. Não diga: "**Tudo bem, querido, mamãe também se preocupa com essas coisas.**"
Essas palavras dizem a seu filho que ele nunca vai deixar de se preocupar porque isso faz parte da natureza dele, assim como da sua.
Use a empatia. Diga: "**Eu entendo que entrar num avião pode ser assustador. Às vezes, eu também sinto medo. Mas digo a mim mesmo que sou corajoso e forte o bastante e que sou capaz de vencer esse medo.**"
Falar com seu filho sobre os seus medos e sobre os argumentos que você usa internamente para vencê-los ensina a ele uma importante habilidade e estimula-o a dizer como se sente. Além disso, essa atitude ajuda a criança a perceber que os medos são normais e contornáveis.

CAPÍTULO 34

"Não quero dar a mão!"

Crianças de 2 anos, que já se movimentam sozinhas, acham que os shoppings e os supermercados são lugares repletos de possibilidades atraentes e consideram as mãos dos adultos verdadeiros limitadores da liberdade. É muito natural que sua filha queira correr livremente; há muito o que ver e fazer. Não reprima a curiosidade da criança, mas reforce, de maneira criativa, as regras sobre ficar sempre por perto.

Dicas úteis

- Evite fazer compras perto do horário das refeições ou na hora da soneca.
- Mantenha as crianças menores no carrinho, para que você se concentre em ensinar as mais velhas a ficarem sempre por perto.

Autoconversação

☹ "Não sei o que fazer quando minha filha se recusa a me dar a mão."
Esperar uma solução "certa" para cada problema relacionado aos filhos é uma postura irrealista. Uma solução é boa quando está de acordo com a sua perspectiva, a sua personalidade e o seu nível de bem-estar (assim como os do seu filho).

☺ "Vou ensiná-la a me dar a mão dentro da loja."
Valorize a curiosidade da criança para explorar o mundo, mas não comprometa sua segurança. Se ela continuar a resistir ao seu pedido para lhe dar a mão, talvez seja melhor fazer as compras sem levá-la durante algum tempo.

☹ "Tenho medo de que ela se perca, mas não quero que fique zangada comigo."
Os pais devem ser líderes e não amigos dos filhos. Nem sempre uns gostam do que os outros dizem ou fazem. Mas seu foco deverá ser sempre na segurança dos pequenos.
☺ "Regras de segurança são importantes e precisam ser seguidas."
Reafirmar a sua visão de segurança vai ajudá-lo a se manter firme quando a criança testar as regras.

☹ "Preciso demonstrar quanto estou zangado, ou ela não vai entender como é importante me dar a mão."
Usar a raiva para motivar a cooperação da criança vai diminuir a capacidade dela de sentir empatia e será um modelo de comportamento negativo.
☺ "Perder a paciência com minha filha só vai piorar a situação."
Optar por ficar zangado vai impedir você de analisar o problema e descobrir maneiras de solucioná-lo.

Conversando com seu filho

Não ameace. Não diga: **"Volte aqui e me dê a mão ou vai levar uma surra!"**
A criança pode até obedecer por medo e não por ser mais seguro.
Relembre a regra. Diga: **"Lembre-se: a regra diz que devemos ficar de mãos dadas do instante em que saímos do carro até a hora de voltar. É para a nossa segurança."**
Relembrar a regra faz dela o "vilão" e não você. Essa atitude também faz com que a atenção da criança se volte para as tarefas a serem aprendidas: manter-se em segurança e seguir as instruções dos pais.

Não castigue. Não diga: **"Se você não me der a mão, não vou deixá-la assistir à televisão hoje."**
Ameaçar retirar privilégios não ensina a criança a cooperar; só a usar ameaças para conseguir o que deseja.

Use a empatia. Diga: **"Sei que é difícil ficar de mãos dadas quando você vê tantas coisas de que gosta, mas ficar perto de mim é a regra."**
Seja um exemplo de empatia para a criança dizendo que você entende o desejo que ela tem de explorar o mundo, mas explique que, mesmo assim, será preciso obedecer às regras.

Não rotule. Não diga: **"O que é que há com você? Você não sabe que é perigoso ficar longe de mim? Que burrice a sua!"**
Rótulos e humilhações dizem a seus filhos que há algo errado com eles só porque querem seguir sua curiosidade natural. Essa não é uma boa maneira de estimular cooperação.
Procure outras opções. Diga: **"Se você não quer ficar de mãos dadas comigo, que tal ficar segurando na minha saia (ou cinto, bolsa, perna da calça)? Assim saberei onde você está e nenhum de nós vai se perder."**
Encontrar alternativas para as mãos dadas pode deixar as suas mãos livres para outras tarefas. É uma solução em que todos ganham.

Não dê ordens. Não diga: **"Não fique para lá e para cá e não toque em nada!"**
Essas repreensões somente mostram à criança aquilo que ela *não* deve fazer; não as lembram do que deve ser feito nem dos motivos pelos quais fazê-lo. E são impraticáveis para alguém que está louco para explorar o mundo.
Diga: **"Obrigado por me dar a mão. Sinto-me tão bem sabendo que estamos juntos e em segurança!"**
Elogiar a cooperação da criança encoraja-a a prosseguir com o bom comportamento e indica que seguir a regra gera uma atenção positiva de sua parte.

CAPÍTULO 35

"Não quero ir para a escola!"

É difícil para uma criança de 3 anos separar-se dos pais. Ajude seu filho, sem culpas. Em primeiro lugar, investigue o que se passa na creche para ter certeza de que não há pessoas, situações ou procedimentos que estejam provocando medo na criança. Quando estiver seguro da ausência de problemas, passe a enfocar a dificuldade de separação.

Dicas úteis

- Antes de seu filho começar a freqüentar regularmente a escola, ofereça a ele oportunidades de praticar a situação de estar longe de você e ensine a ele que você sempre voltará.
- Deixe-o durante uma ou duas horas com uma pessoa de confiança ou faça uma adaptação gradual na escola, de uma ou duas horas por dia, até ele se acostumar com a idéia da separação.
- Evite reclamar de seu trabalho e sobre como você odeia ter de pôr a criança numa creche. Seu pessimismo contagia.
- Faça com que as despedidas sejam breves e afetuosas para ajudar seu filho a fazer uma transição tranqüila e rápida para o novo ambiente.
- Verifique se o ambiente da escola é seguro e se os professores são gentis, responsáveis e se compartilham sua pedagogia.

Autoconversação

☹ "Eu deveria estar com meu filho. Queria não ter de ir trabalhar para que ele pudesse ficar em casa comigo."

Você não está fazendo algo errado por precisar (ou desejar) trabalhar.

☺ "Estou fazendo o que é melhor para a minha família."
Na escola, seu filho está com outras crianças, e o trabalho permite a você suprir as necessidades da família.

☹ "Meu filho me deixa deprimido quando briga porque não quer ir à escola."
Não adianta sentir pena de si mesmo. É *você* que controla como se sente, não o seu filho.
☺ "Resistir à creche/escola é uma maneira de meu filho dizer que não quer se separar de mim."
Lutar contra a separação é normal nas crianças pequenas. É função dos pais ajudá-las a praticar a separação e ensiná-las a trabalhar e brincar com outras pessoas.

☹ "Se o meu ex-marido não tivesse me abandonado, eu não teria de sair para o trabalho e meu filho poderia ficar em casa comigo."
Culpar o seu ex-cônjuge por você ter de trabalhar só vai contribuir para aumentar a tensão entre vocês e poderá afastar a criança do outro genitor.
☺ "O fato de meu filho ter de ir para a escola não faz com que eu ou meu ex-marido sejamos maus pais."
Evitar o jogo da culpa vai ajudar você, seu filho e o outro responsável a trabalhar em equipe. A intenção é que todos fiquem bem.

Conversando com seu filho

Não ameace. Não diga: **"Pare com esse choro e fique quieto, ou vou lhe dar um bom motivo para chorar!"**
Ameaçar seu filho vai encorajá-lo a resistir ainda mais para testar os seus limites e ver se você vai mesmo cumprir as ameaças.
Elogie o comportamento cooperativo. Diga: **"Obrigado por me deixar colocar as meias em você. Isso me ajudou bastante. Ficaremos prontos num instante para irmos à escola."**
Pode ser difícil elogiar seu filho quando ele o desafia a cada instante,

mas faça todo o esforço possível para encorajar *qualquer* sinal de cooperação. Por exemplo, diga: "Você está tomando o café da manhã tão bem! Isso quer dizer que vamos ter muita energia hoje!", ou: "Adoro ouvir você contar sobre as coisas de que você gosta na escola. Quando você fala daquilo que gosta, sei que se sente feliz!"

Não ofenda. Não diga: **Você é muito mimado! Fique quieto e entre no carro!"**

Intimidar a criança ofendendo-a é contraproducente. Ofensas também têm um tom profético: a criança aprende a viver e a se comportar de acordo com os rótulos que lhe foram atribuídos.

Ofereça apoio. Diga: **"Vou falar com a sua professora para ter certeza de que está tudo bem."**

É sempre bom estar a par do que acontece na escola/creche quando a criança se mostra relutante em ir para lá. Pergunte à professora como a criança se comporta depois que você sai, com quem ela brinca, se há alguma novidade acontecendo e que sugestões ela pode lhe dar para aliviar o desconforto de seu filho."

Não rotule. Não diga: **"Sei que você é muito tímido e não gosta de estar junto com outras crianças, mas mamãe precisa trabalhar."**

Rotular a criança de tímida pode fazer dessa característica uma parte permanente da identidade dela. Essa atitude insinua que ela não tem perfil para brincar com outras crianças.

Ofereça apoio emocional. Diga: **"Você gostaria de levar seu ursinho de pelúcia para a escola hoje? Você sempre se sente bem quando o abraça forte."**

Algumas vezes, quando se sentem relutantes em ir a algum lugar, as crianças desejam ter a seu lado algo de que gostam muito. Esse objeto pode acalmá-las quando os pais não estão por perto.

Não apele para a culpa. Não diga: **"Você sabe que eu preciso trabalhar para comprar roupas e brinquedos para você! Não me atrase outra vez!"**

Fazer a criança sentir-se culpada não vai motivá-la a cooperar com você nem ensiná-la a lidar com a separação. Em vez disso, vai achar que *ela* é a responsável pelas escolhas que você faz, como, por exemplo, o fato de ter de sair para o trabalho.

Mude o foco. Diga: **"Eu vou trabalhar e você vai para a escola e nós dois estaremos em casa para jantar juntos."**

Mostrar que a separação é temporária, enfocando a atenção da criança no fato de que vocês estarão juntos mais tarde, vai ajudá-la a lidar com a ida à escola.

Não ceda. Não diga: **"Tudo bem, vou ficar em casa com você."**

Você pode se sentir tentado a abrir mão de suas obrigações para ficar em casa com seu filho, mas essa atitude vai ensinar a ele que, se resistir, conseguirá o que deseja.

Ensine seu filho a adiar gratificações. Diga: **"Hoje é dia de trabalho para mim e dia de escola para você. Vamos contar quantos dias faltam para que nós dois possamos ficar em casa?"**

Ajudar uma criança a enfocar um evento futuro que deseja alcançar vai ensiná-la a habilidade de adiar gratificações. Aproveitar esse momento para ajudar seu filho a praticar a separação entre vocês é uma atitude produtiva e saudável.

CAPÍTULO 36

"Não quero ir para a aula de natação!" (ou futebol, inglês, piano, etc.)

Algumas crianças pequenas amam a rotina de praticar esportes, outras não. Se seu filho apresenta uma resistência constante, pode ser que o esporte não seja o mais adequado ao perfil dele ou que ele não tenha gostado do professor. Se a resistência for ocasional, ele talvez esteja tentando vencer dificuldades ligadas a habilidade, trabalho em equipe ou espírito esportivo. O mesmo pode acontecer com outras atividades extracurriculares. Pergunte-se sempre: a resistência da criança é constante ou ocasional? Ela reluta em experimentar coisas novas? Consegue sentar-se e concentrar-se durante vários minutos? Tem algum tempo livre, sem atividades predeterminadas? No caso das aulas de natação, é preciso ressaltar a importância e a necessidade de saber nadar e as regras que deverão ser seguidas quando a criança estiver perto da água, principalmente se você mora próximo da praia, de um lago, rio ou lagoa. Compreender a criança e as circunstâncias que envolvem sua resistência dará a você a possibilidade de entender a razão de seus protestos.

Dicas úteis

- Antes de matricular seu filho numa aula de esporte, decida se ele possui o interesse e as habilidades físicas necessárias para tal. Pratique em casa para avaliar esses importantes pré-requisitos. Para outras atividades extracurriculares, entreviste os professores, conheça a filosofia educacional e disciplinar adotada e veja se está de acordo com o que você deseja para seu filho. Assegure-se de que seu filho tem condição de fazer (ou aprender) tudo o que lhe será pedido durante a atividade.

- Observe se seu filho consegue entender as instruções, prestar atenção e manter o esforço físico necessário para praticar o esporte escolhido. Nas atividades que não exigem preparo físico, assegure-se de que seu filho compreende as instruções e tem capacidade para obedecer às regras e manter uma rotina.
- Verifique se os adultos que orientarão seu filho compartilham seus princípios de educação e disciplina e se comunicam de forma gentil e eficaz com as crianças.
- Reflita sobre as suas regras para que seu filho pratique um esporte – inclusive o tempo que demandará –, as outas opções caso ele desista da atividade esportiva e o apoio que pode esperar de sua parte.
- Se quiser que seu filho faça aulas de natação, procure acostumá-lo a brincadeiras na água desde pequeno. Assegure-se ainda de que o professor de natação, a localização da piscina e a temperatura da água estão "colaborando" para o aprendizado de seu filho.

Autoconversação

☹ "Como ele é bobo por ter medo da água."

Dizer a si mesmo que os medos de seu filho são tolos retira de você a responsabilidade de ajudá-lo a vencer esses sentimentos negativos.

☺ "Minha função é ajudar meu filho a vencer o medo da água."

Entenda que o medo é um instinto de sobrevivência. Seu filho vai vencer os temores quando deixar de achar que a água é perigosa.

☹ "Meu filho sabe que eu sempre desejei que ele fosse um grande jogador de futebol. Não posso acreditar que esteja me decepcionando dessa maneira."

Ficar decepcionado com seu filho porque ele não realiza os seus sonhos é uma atitude pouco saudável para ambos. Veja a relutância dele em treinar como um indicador de que está cansado, de que não tem afinidade com a atividade ou de que algo o desagrada nos treinos.

☺ "Eu sei que o futebol é o meu sonho e não o dele."

Separar os seus desejos dos desejos de seu filho vai ajudá-lo a compreender as razões *dele* para não querer treinar.

☹ "O que os outros pais vão pensar se meu filho não aparecer para treinar?"

Preocupar-se com o que os outros vão pensar vai impedi-lo de concentrar-se em seu filho.

☺ "É importante ensinar a meu filho a relação entre prática e maestria."

Ajude seu filho a entender que é preciso praticar para aprender a fazer bem alguma coisa.

☹ "Ele nunca será popular se não jogar bem. Portanto, precisa treinar."

A vida não é um concurso de popularidade. Seu filho vai fazer amigos jogando bem ou não. Usar palavras como *nunca* gera uma postura sem saída, sem esperança, pouco saudável e improdutiva.

☺ "Preciso ajudar meu filho a entender que o trabalho árduo aumenta suas chances de sucesso."

Enfocar o objetivo de ser um bom jogador a longo prazo (se é isso que a criança deseja) pode ajudar seu filho a compreender a importância da prática. Estimule a cooperação para alcançar um objetivo e não para impressionar os outros.

☹ "Não suporto crianças gordas e preguiçosas, e ele vai se tornar uma delas se não praticar um esporte."

Tirar conclusões tenebrosas sobre o destino de seu filho é irracional e coloca sobre ele uma pressão desnecessária. Essa atitude não vai ensiná-lo a arcar com suas responsabilidades. Além disso, enfocar a atenção no peso e na aparência da criança pode aumentar o risco do desenvolvimento de problemas ligados à auto-imagem.

☺ "Meu objetivo é ajudar meu filho a desenvolver hábitos saudáveis."

Os hábitos que fazem parte da rotina dos pais e são reforçados durante os anos da pré-escola tendem a se tornar comportamentos adotados pelo resto da vida.

☹ "Crianças devem obedecer a seus pais porque eles sabem o que é melhor para elas."
Essa abordagem autoritária gera disputas de poder intermináveis. Repetindo: você não pode controlar o comportamento do seu filho – somente a maneira como *reage* a ele.
☺ "Sou capaz de tolerar um pouco de resistência. Não é um problema tão grande."
Dessa maneira, você passa para a criança a mensagem de que apóia o fato de ela expressar opiniões próprias, ainda que sejam diferentes das suas.

☹ "Toda criança precisa de aulas de música para vencer na vida."
Evite acreditar no mito da existência de um caminho para o sucesso.
☺ "Não é realmente importante para minha filha ter essas aulas agora. Ela pode esperar um pouco."
Talvez a criança esteja ocupada demais para prosseguir com determinada atividade. Só porque ela reluta em ter uma aula agora isso não significa que não poderá vir a tê-la em outro período da sua vida.

Conversando com seu filho

Não humilhe, não culpe. Não diga: **"Estou muito decepcionado com você. Quando crescer, você vai ser um preguiçoso."**
Humilhar seu filho somente fará com que ele pense mal de si mesmo. Se essa atitude gerar alguma motivação, será apenas para agradar a você e não para que ele possa seguir o sonho de praticar um esporte ou outra atividade que adore. Além disso, humilhar a criança ensina a ela que o amor dos pais é condicional – eles só a amam quando ela obedece.
Faça-o expressar o que sente e ofereça escolhas. Diga: **"Conte-me do que você não gosta em relação às aulas. Podemos tentar mais cinco aulas?"**
Se você descobrir, por exemplo, que ele não gosta da maneira como o

tratam, poderá tomar as medidas necessárias para resolver o problema. Se ele não tolera a monotonia e a repetição, ensine maneiras de vencer o tédio. Ajude seu filho a preservar o amor pela atividade. Estabelecer objetivos que tenham um ponto final definido, fazendo com que a criança não se sinta presa numa armadilha, também oferece uma sensação de controle sobre a tomada de decisões.

Não use a culpa. Não diga: **"O que é que há de errado com você? Você me implorou para fazer essas aulas!"**
Perguntar o que há de errado com seu filho subentende que *existe* algo errado com ele só porque mudou de opinião.
Reveja a situação. Diga: **"Vamos pensar em como você vai se divertir na aula."**
Mudar a perspectiva da criança pode ajudá-la a vencer a relutância em participar. Motive-a, ajudando-a a enxergar como a experiência pode ser divertida e gratificante.

Não ameace. Não diga: **"Se você não se aprontar para a aula de futebol agora, não vai assistir à TV."**
Esse tipo de ameaça não vai motivar seu filho a amar o futebol ou a cooperar no futuro. Vai apenas gerar mais batalhas quando ele desejar assistir à televisão.
Use a empatia. Diga: **"Eu sei que você não quer ir ao treino, mas algumas vezes temos de fazer coisas difíceis para, mais tarde, podermos aproveitar outras atividades."**
Ajude seu filho a entender que o treino pode não levá-lo à perfeição, mas vai deixá-lo mais à vontade com a bola ou qualquer outro equipamento esportivo. O professor deve ensinar à criança que não desistir é importante para se alcançar um objetivo.

Não rotule. Não diga: **"Você é um bobalhão como seu primo. Ele não consegue dar um chute na bola."**
Rotular seu filho de incapaz vai fazer com que ele se sinta pior ainda em relação a si mesmo e às próprias habilidades.

Seja prestativo. Diga: **"Vamos criar um cartaz bem colorido para mostrar como você vem melhorando."**

Organizar um quadro que mostre como as habilidades de seu filho estão se aperfeiçoando pode motivá-lo a prosseguir com os treinos. Por exemplo, anote o número de vezes em que ele chutou para dentro do gol na aula de futebol, ou quanto tempo levou para nadar alguns metros na aula de natação. Lance mão também da regra-batizada-por-vocês, para que ele saiba que depois de cumprir os deveres terá permissão para fazer o que deseja.

Não intimide. Não diga: **"Você vai aprender a nadar, quer queira, quer não."**

A falta de empatia e a coação para que a criança tenha aulas passam a mensagem de que você não se importa o bastante com os sentimentos dela, não se preocupa em motivá-la ou apoiá-la. Pergunte a si mesmo como se sentiria se fosse forçado a ter aulas de natação.

Faça a criança expressar o que sente. Diga: **"Por que você não gosta das aulas de natação?"**

Só assim você vai compreender os receios dela. Pode ser que ela não goste de molhar o rosto ou que não queira mergulhar. Faça a criança ter certeza de que está ao lado dela demonstrando empatia com o que ela sente.

Não ceda. Não diga: **"Está bem: você não precisa nadar se não quiser."**

Não dê a seu filho o poder de vetar algo que seja importante para sua própria segurança. Essa atitude vai impedir que ele aprenda as habilidades necessárias para perseverar quando algo não for fácil de ser alcançado.

Use a empatia. Diga: **"Eu sei que você não quer ter essas aulas, mas aprender a nadar é importante. E sei como é difícil fazermos coisas que não queremos, por isso vou ficar aqui, bem na beira da piscina."**

Reafirmar a importância da natação e mostrar à criança que você estará por perto ajudarão a reduzir a ansiedade. Além disso, você estará mostrando a ela que terá incentivo e suporte sempre que precisar.

CAPÍTULO 37

"Não quero ir para a casa do papai!"

Aprender a movimentar-se entre duas casas diferentes pode ser difícil para você e seu filho de 4 anos. A adaptação demanda tempo e esforço. O segredo é ter paciência. A maneira como você reage aos protestos da criança vai depender do seu nível de empatia e da sua atitude em relação a essa circunstância. Mantenha sempre os itens que ela mais aprecia em ambas as casas, ou providencie para que o responsável da vez leve esses itens a cada mudança, fazendo com que ela se sinta à vontade nos dois lugares.

Dicas úteis

- Coloque em lugar visível um esquema que mostre à criança quando ela deve ir para a casa do outro responsável, ou lembre-a dessas mudanças com regularidade.
- Esforce-se bastante para passar uma atitude positiva em relação ao outro responsável.
- Entrem em acordo a respeito dos métodos de disciplina, para que sejam sempre respeitosos e para que reforcem o amor que ambos sentem por ela.

Autoconversação

☹ "Não é maravilhoso que minha filha goste mais da minha casa?" Comemorar a preferência da criança pela sua casa cria um ambiente destrutivo de competição com o outro genitor. Veja de maneira positiva o fato de a criança passar algum tempo ali, independentemente de como você se sente em relação ao outro responsável.

☺ "Embora eu me sinta melhor quando minha filha está comigo, sei que é importante para ela passar algum tempo com o pai (ou a mãe)."
Ver com empatia as necessidades da criança faz com que você tome as melhores atitudes para ela. O apoio ao outro responsável estimula a criança a se sentir à vontade nas duas casas.

☹ "Preciso fazer com que minha casa seja mais agradável que a casa do pai (da mãe), para que minha filha queira ficar aqui."
Competir com o outro genitor pela posição de "predileto" pode se tornar uma batalha sem fim. Sua tarefa é ajudar a criança a perceber que o pai e a mãe a amam incondicionalmente.

☺ "Só porque minha filha está criando confusão isso não quer dizer que ela não goste da outra casa."
Evite interpretar os protestos da criança como uma rejeição a uma das casas. Apóie a ida dela à casa do pai (da mãe) se você tiver a certeza de que é um ambiente saudável e acolhedor.

Conversando com seu filho

Não deprecie. Não diga: **"Não me importo com a sua vontade. Você vai para a casa do seu pai (da sua mãe). Entre no carro."**
A sua falta de empatia vai aumentar o desejo da criança de ficar com você para recuperar o seu amor, que ela teme estar perdendo.
Use a empatia. Diga: **"Eu compreendo que você queira ficar aqui, mas a regra diz que hoje à noite você fica na casa do seu pai (da sua mãe). Você pode me ligar antes de dormir."**
Usar a regra para administrar a situação ajuda a evitar conflitos entre você e a criança. Sugerir que ela lhe telefone demonstra que o seu amor e o seu apoio estão sempre por perto."

Não menospreze o outro responsável. Não diga: **"Seu pai (sua mãe) nunca quer ficar com você."**

Sugerir que o outro responsável não gostaria de estar com a criança vai deixá-la pouco à vontade para se movimentar entre as duas casas. Suas palavras são ferramentas poderosas para promover amor ou ódio: escolha-as com cuidado.

Reforce um ambiente afetuoso. Diga: **"Está bem, você pode ficar aqui na quarta-feira. Mas hoje é segunda-feira, dia de você ir para a casa do papai (da mamãe). Ele (ela) está ansioso(a) para passar algum tempo com você."**

Lembre a seu filho as coisas boas que acontecem na casa do outro responsável. Essa atitude cria uma situação em que todos saem ganhando, além de afastar os conflitos.

Não ceda. Não diga: **"Está bem, fique aqui. Não me importo com o que você faz."**

Embora possa parecer que você está fazendo um favor à criança deixando a ficar, dizer que não se importa com o que ela faz sugere que você não se preocupa com o bem-estar dela. Essa atitude também indica que você vai ceder se ela resistir um pouco.

Faça a criança expressar o que sente. Diga: **"Eu sei que você quer ficar aqui hoje, mas você vai se divertir muito na casa do papai (da mamãe). O que você faz lá?"**

Conhecer as razoes da criança pode levá-lo a descobrir por que a outra casa não é desejável e o que você pode fazer para melhorar a situação. Essa atitude também demonstra que você apóia a ida da criança à outra casa.

CAPÍTULO 38

"Não quero visitar a vovó!"

Quando se trata de pedir que seu filho de 5 anos o acompanhe numa visita a um parente mais velho, a cooperação dele pode ter um sentido especial para você. Entretanto, lembre-se de que ele não tem noção da sua expectativa de que uma visita à avó seja algo significativo para você e para ela. Aproveite essa oportunidade e fale com a criança sobre os seus sentimentos, levando-a a perceber que priorizar a família é um compromisso para toda a vida.

Dicas úteis

- 👍 Seja um exemplo de delicadeza, empatia e cuidados com avós e outros membros mais velhos de sua comunidade.
- 👍 Evite reclamar por ter de visitar amigos e parentes mais velhos ou, caso vivam num lar para idosos, evite comentar sobre as más condições do local.

Autoconversação

☹ "Minha mãe vai me odiar se eu não levar meu filho para visitá-la." Não presuma que a resistência de seu filho possa levar uma pessoa a ficar zangada com você. Essa atitude vai criar uma pressão desnecessária.

☺ "O fato de meu filho não querer ir não significa que ele seja mau." Reconheça que a relutância de seu filho pode resultar de vários fatores, inclusive ansiedade com relação à aparência da avó, à falta de memória dela ou ao comportamento imprevisível que ela pode apresentar.

☹ "Onde foi que eu errei? Meu filho não se importa com a própria avó."
Não conclua que seu filho não se importa com os outros e que essa falta de empatia é culpa sua. Esses pensamentos só vão trazer preocupação.
☺ "Meu objetivo é ajudar meu filho a desenvolver empatia e compaixão."
Sua tarefa é alimentar a empatia natural de seu filho através de repetidas oportunidades.

☹ "Sinto-me tão culpado quando meu filho não quer visitar o avô."
Sentir-se culpado indica que você fez algo errado. Você não é culpado pela relutância de seu filho, e ele também não é. Você tem direito a ter seus próprios sentimentos e ele idem.
☺ "Eu compreendo a resistência de meu filho, pois nem sempre eu tenho vontade de ir."
A sua empatia com a criança abre caminhos para a cooperação. Lembre-se da regra de ouro: trate seu filho como você quer que ele o trate.

Conversando com seu filho

Não use a culpa. Não diga: **"O que você quer dizer com 'não quero ir'? Você não se importa com a vovó?"**
Usar a culpa como motivação não vai ajudar seu filho a desenvolver a capacidade de sentir empatia e ter consideração pelos outros.
Demonstre empatia. Diga: **"Eu compreendo que você não queira visitar a vovó, mas ela fica tão feliz quando você vai!"**
Ajudar seu filho a refletir sobre como os outros vão se sentir estimula a empatia que toda criança possui. Dê a ele tempo para pensar sobre como é bom fazer os outros felizes.

Não humilhe. Não diga: **"A vovó vai ficar muito zangada com você se você não for."**
Não diga a seu filho que a relutância dele vai deixar a avó zangada. Essa atitude vai diminuir a habilidade dele de sentir empatia com a avó. Ele vai se ressentir do fato de que expressar seus verdadeiros sentimentos deixe alguém zangado.

Faça-o expressar o que sente: **"Por que você não quer ir? Ajude-me a entender."**

Conhecer os sentimentos da criança vai dar a você informações importantes que podem ajudá-lo a resolver o problema. Talvez ele esteja resistindo porque o lugar onde a avó mora não é agradável ou não tem nada de atraente. Se for isso, peça à criança que leve com ela um belo desenho para ajudar na decoração ou que escolha alguns brinquedos que a entreterão durante a visita.

Não suborne. Não diga: **"Se você for comigo à casa da vovó, vamos comer pizza na volta para casa."**

Essa atitude não ensina à criança a importante lição de que ter cuidados com os semelhantes já é a própria recompensa.

Faça um acordo. Diga: **"Depois de visitar a vovó, poderemos parar no parque no caminho de volta para casa."**

Sim, a criança vai acabar aprendendo que as responsabilidades vêm antes dos desejos. Essa atitude também demonstra que ela tem controle sobre a própria vida – um objetivo fundamental para ela desde que nasceu.

Não use a raiva. Não diga: **"Não agüento mais essa história de você não querer visitar sua avó. Agora entre neste carro!"**

Sua demonstração de raiva só vai deixar seu filho com medo e apreensivo. Tornar o seu amor condicional sinaliza que, se ele não obedecer aos seus comandos, não terá mais os seus cuidados – uma perspectiva assustadora para uma criança.

Ofereça benefícios. Diga: **"Vamos levar para a vovó aquele desenho que você fez hoje de manhã. Ela vai adorar, e você vai se divertir mostrando-o para ela."**

Enfocar a atenção de seu filho no fato de fazer a avó feliz vai estimular a empatia natural da criança. Mostrar como a vovó admira o trabalho artístico do neto vai fortalecer os laços entre os dois.

SÉTIMA PARTE

VESTIR-SE

Nosso dilema é que odiamos as mudanças e as amamos ao mesmo tempo. O que realmente desejamos é que as coisas permaneçam iguais, mas melhores.

SIDNEY J. HARRIS

CAPÍTULO 39

"Não quero trocar de roupa!"

Roupas prediletas são como velhos amigos, seja você jovem ou velho. Portanto, respeite o desejo de uma criança de 4 anos de usar as mesmas roupas todos os dias, mas não abra mão da regra de vestir roupas limpas. Faça com que ela entenda que a máquina de lavar só vai separá-la temporariamente das roupas que tanto ama. E que ficará feliz quando elas "voltarem para casa".

Dicas úteis

- Estabeleça uma regra sobre usar roupas limpas e assegure-se de que seu filho compreenda a definição de *sujo*. Diga, por exemplo: "Só usamos roupas que não tenham cheiro ruim nem manchas."
- Converse sobre a importância da limpeza para que seu filho entenda por que você precisa lavar as roupas com regularidade.
- Deixe que seu filho ajude a lavar as roupas, para que veja como elas passam pela máquina de lavar e saem limpas.

Autoconversação

☹ "Eu sei que não devo ceder, mas estou cansado de brigar. Não me importo com o que essa menina veste."

A sua falta de persistência demonstra que suas palavras não têm força e que não há problema em desistir quando enfrentamos desafios.

☺ "Quero ensinar à minha filha que usar roupas limpas é muito bom."

Enxergar no problema uma oportunidade para ensinar uma lição importante mantém você animado e otimista para alcançar seu objetivo.

☹ "Ela deveria ter noção de que não devemos usar roupas sujas. O que há de errado com essa criança?"
Não julgue uma criança com base naquilo que ela deseja vestir. Esse tipo de julgamento sinaliza que as decisões que ela toma podem diminuir seu próprio valor. Acabará tentando ser perfeita para merecer o amor dos pais. Todo mundo comete erros e precisamos enxergar neles caminhos para aprender o que ainda não sabemos.
☺ "Querer usar a mesma roupa sempre não é um problema grave."
Reconheça que crianças em idade pré-escolar costumam resistir às mudanças. Cabe aos pais ajudarem os filhos a lidar com elas.

☹ "O que minhas amigas vão pensar se minha filha for à pracinha com a mesma roupa todos os dias?"
Quando você se pegar preocupando-se com o que os outros pensam a seu respeito, lembre-se da chamada Regra dos Vinte-Quarenta-Sessenta: aos 20 anos, nós nos preocupamos com o que os outros pensam de nós; aos 40, já não nos preocupamos mais; aos 60, percebemos que ninguém sequer estava preocupado conosco.
☺ "Eu entendo que ela queira usar o mesmo vestido todos os dias. Algumas vezes, até eu sinto a mesma vontade."
Ao perceber que seus medos de separar-se de suas roupas preferidas são compreendidos, a criança se aproxima dos pais.

Conversando com seu filho

Não ameace. Não diga: **"Continue usando essa roupa imunda e você vai ver. Ninguém vai gostar de você se estiver toda suja."**
Ameaçar uma criança em idade pré-escolar de isolamento social não causará impacto. A criança nessa fase só deseja fazer o que tem vontade. E você quer que ela use roupas limpas para que desenvolva bons hábitos, e não por temer uma possível rejeição.
Ofereça opções. Diga: **"Sinto muito. Este vestido será lavado. Amanhã estará limpo e você poderá usá-lo outra vez. Enquanto isso, vamos escolher outro."**

Ter firmeza e, ao mesmo tempo, oferecer outras opções podem ajudar uma criança a aprender a adiar gratificações e a ser flexível. Permitir que ela escolha outra roupa satisfaz o desejo que ela tem de exercer controle sobre o que veste.

Não deprecie. Não diga: **"O que há de errado com você? Só quer usar esse mesmo vestido imundo!"**

Repreensões sinalizam que a criança pode perder seu amor e seu apoio só porque deseja vestir a mesma roupa. Não a faça escolher entre o seu amor e um vestido.

Faça um acordo. Diga: **"Eu entendo que você queira usar este vestido hoje, mas ele está sujo. Vamos escolher outra roupa. Quando estiver com ela, poderemos assistir ao seu programa predileto na televisão até a hora de ir para a escola."**

Usar a regra-batizada-por-vocês para motivar uma criança a escolher outra roupa pode ajudá-la a aprender a fazer transições: depois de cumprir o que precisa ser feito, poderá fazer o que desejar.

Não implore. Não diga: **"Por favor, ponha este vestido limpo. Faça isso pela mamãe."**

Por mais tentador que possa ser, implorar não ensina a criança a fazer escolhas adequadas. A súplica só vai fazê-la preocupar-se com a possibilidade de você não amá-la mais caso não coopere.

Use a empatia. Diga: **"Eu sei que você ama o seu vestido predileto. Eu também amo o meu. Vamos lavá-los juntos e poderemos usá-los de novo quando estiverem limpos."**

Demonstrar empatia mostra que vocês estão no mesmo time. Trabalhar em conjunto vai gerar o resultado desejado pelos dois lados.

CAPÍTULO 40

"Não quero me vestir agora!"

Quando seu filho de 3 anos recusa-se a vestir-se depois de vários pedidos seus, provavelmente está numa das seguintes situações: deseja decidir sozinho o que vestir, deseja ter o controle de quando se vestir ou deseja continuar fazendo determinada atividade sem ser interrompido. Para o embate não terminar mal, mantenha a calma e concentre-se em seu objetivo: sair de casa na hora certa, sem lágrimas.

Dicas úteis

- Antes de pedir a seu filho que se vista, converse com ele sobre o tipo de roupa que será preciso usar naquele dia. Ele vai pensar na sua rotina e, a partir daí, fazer sua escolha.
- Assegure-se de que seu filho seja capaz de desempenhar as tarefas necessárias para vestir-se. Estimule-o a pedir ajuda para as tarefas que ainda não consegue fazer sozinho.
- Separe um tempo para que ele se vista e para as outras rotinas, para que ele aprenda a cooperar sem pressões desnecessárias.
- Estabeleça uma regra sobre a hora de estar vestido de manhã.

Autoconversação

☹ "Todos os dias ele me atrasa porque não quer se vestir."
Culpar a criança pelo seu atraso não vai ensiná-la a cooperar.
☺ "Sou capaz de lidar com a recusa de meu filho em vestir-se."
Reafirmar a sua capacidade de lidar com a resistência de seu filho dá a você a energia necessária para resolver o problema.

☹ "Não posso levá-lo à escola de pijama. O que a professora vai pensar?"

Não fique tentando adivinhar o que fazer para agradar aos outros.

☺ "Algumas vezes eu também tenho vontade de ficar de pijama o dia inteiro."

Trocar de roupa não faz o menor sentido para uma criança em idade pré-escolar, confortável em seu pijama. Entender os sentimentos dela ajuda você a imaginar maneiras criativas de fazê-la vestir-se.

☹ "Eu sei que ele consegue se vestir sozinho. Ele só está sendo teimoso como o pai (a mãe)."

Rotular seu filho de teimoso é quase uma profecia. E mais: culpar o pai (a mãe) pelo comportamento da criança só vai afastá-la dele(a).

☺ "É importante evitar uma verdadeira guerra sobre a obrigação de vestir-se."

Faça de você mesmo um ajudante de seu filho, nunca um adversário. Vocês devem trabalhar juntos para cumprir a tarefa.

Conversando com seu filho

Não ameace. Não diga: **"Se você não estiver vestido quando eu voltar, vai levar uma surra."**

Ameaças não servem para nada. Até podem motivar a cooperação a curto prazo, mas os valores positivos que ficam para a vida toda não são ensinados dessa maneira.

Faça uma brincadeira. Diga: **"Hora de se vestir. Vamos ver se você consegue colocar as calças antes de o alarme do relógio tocar."**

Esse tipo de brincadeira é instigante e estimula o instinto competitivo da criança. Motiva seu filho a entrar no jogo e trocar de roupa depressa, esquecendo-se de que o objetivo é apenas fazê-lo vestir-se.

Não use a raiva. Não diga: **"Você está me irritando. É melhor se vestir antes que eu fique zangado."**

Usar a raiva para motivar seu filho a cooperar dá a ele poder sobre os sentimentos dos pais, diminui a habilidade dele de sentir empatia e não demonstra como fazer o que foi pedido.

Ofereça escolhas. Diga: **"Precisamos nos vestir agora. Você pode se vestir sozinho, ou eu posso ajudá-lo a vestir-se. Você decide."**

A atitude que envolve um acordo diz a seu filho que mudar de roupa é algo inegociável, mas oferece a ele escolhas sobre como completar a tarefa. Dessa maneira, ambos ficam satisfeitos.

Não deprecie. Não diga: **"Qual é o seu problema? Eu não estou criando você para ser um preguiçoso! Entre no quarto e troque de roupa!"**

Dar a entender que a criança tem uma falha de caráter pode fazê-la pensar que não é capaz de alcançar objetivos, que não é digna do amor dos pais e que nem adianta tentar mudar de comportamento.

Seja prestativo. Diga: **"Vou ajudá-lo com os sapatos e as meias assim que você tiver vestido a calça e a camisa."**

Oferecer-se para realizar parte da tarefa pode motivar a criança a fazer o resto. Atuar como colaborador demonstra que o trabalho em equipe é importante para cumprir tarefas.

Não suborne. Não diga: **"Se você se vestir, vou lhe comprar alguma coisa no caminho para a escola."**

Além da recompensa, dar à criança a opção do "se" a faz a pensar: "E se eu não fizer?" A criança pode se negar a cooperar somente para ver o que você vai fazer.

Faça um acordo. Diga: **"Quando você tiver vestido suas roupas, poderemos tomar o café-da-manhã juntos."**

É sua função ensinar a seu filho que fazer o que é necessário vem antes de fazer o que desejamos.

CAPÍTULO 41

"Não quero calçar os sapatos!"

Para algumas crianças, principalmente na faixa de 2 anos, o maior prazer do mundo é andar sem sapatos. Exigir que elas os calcem pode gerar uma briga. Explique a seu filho que o chão pode ter perigos, como vidros quebrados, farpas, pedras pontiagudas, asfalto quente, etc., para que ele compreenda que cobrir os pés é uma forma de proteção. Ao mesmo tempo, permita que ele fique descalço sempre que for seguro.

Dicas úteis

- Estabeleça regras sobre quando e onde os sapatos devem ser usados.
- Converse sobre os sapatos que você usa, principalmente quando houver uma razão específica: "Estou usando minhas botas hoje porque está frio e chovendo."
- Deixe que a previsão do tempo e o tipo de piso do local sejam os parâmetros para escolher o calçado que a criança vai usar.
- Assegure-se de que seu filho consegue calçar os sapatos antes de exigir que ele o faça.

Autoconversação

☹ "Ela nunca vai aprender a calçar os sapatos. Acho que vai continuar andando descalça pelo resto da vida."

Pensar que uma criança *nunca* vai aprender a fazer algo exacerba o problema. Assumir uma atitude de impotência diminui a sua disposição para encontrar soluções criativas.

☺ "Ela vai aprender a calçar os sapatos com o passar do tempo. Enquanto isso, vou ajudá-la."

É bom não criar expectativas sobre as habilidades da criança: cada uma tem seu tempo de desenvolvimento. Manter a mente aberta também ajuda você a ser criativo. Que tal comprar sapatos com velcro em vez de cadarço?

Conversando com seu filho

Não ameace. Não diga: **"Se você sabe o que é bom para você, vá calçar esses sapatos AGORA!"**

Ameaças vagas são ineficazes e, além disso, ensinam à criança que usar o medo para controlar os outros pode ser positivo.

Relembre a regra. Diga: **"O que diz a regra sobre calçar sapatos? Para onde estamos indo?"**

Relembrar a regra vai ajudar a criança a aprender a monitorar as circunstâncias antes de decidir o que vestir e calçar. A regra – e não você – torna-se o guia e é "quem" determina as conseqüências.

Não use a raiva. Não diga: **"Estou começando a ficar nervoso. Calce logo os sapatos."**

A raiva não deve ser usada como motivação. Essa atitude só traz medo e diminui a capacidade da criança de sentir empatia.

Pratique. Diga: **"Vamos treinar como calçar os sapatos? Eu o ajudo a calçar e você amarra sozinho."**

Treinar uma nova habilidade é importante para dominá-la. Elogie bastante o progresso que for alcançado.

CAPÍTULO 42

"Não quero vestir essa roupa horrorosa!"

Como você se sentiria se alguém lhe dissesse o que vestir todos os dias? O objetivo maior de uma criança de 3 anos é controlar seu próprio mundo. Esteja pronto para o fato de ela se importar mais com a própria opinião do que com as regras sobre roupas. Para evitar uma batalha e ensinar seu filho pequeno a escolher trajes adequados, estabeleça regras sobre o que deve ser usado em diferentes condições climáticas e ocasiões, como festas ou aulas de esporte.

Dicas úteis

- Sempre que possível, explique a seu filho por que você está trocando de roupa para que ele aprenda quando e por que determinadas peças são mais adequadas.
- Minimize as opções de roupas de seu filho para evitar confusões e conflitos. Por exemplo, para a hora de brincar, diga: "Você pode escolher entre a calça jeans ou um macacão."
- Escolha com seu filho, com alguma antecedência, os trajes a serem usados, evitando assim atrasos quando você estiver com pressa. Faça valer essa decisão mútua caso haja discussões. Do contrário, seu filho vai aprender a testar todas as suas decisões, sejam elas mútuas ou não.
- Estimule a capacidade de seu filho de combinar roupas, deixando algumas combinações possíveis em diferentes gavetas ou prateleiras.
- Desacostume aos poucos o seu filho de usar a roupa predileta dele sempre. Comece por não permitir que ele vista a peça num deter-

minado dia da semana. Depois de duas semanas, aumente para dois os dias em que a roupa não poderá ser usada. E assim sucessivamente, até que ele passe a só usar a tal peça uma vez por semana ou menos.

Autoconversação

☹ "O que há de errado com meu filho? Ele é sempre tão rabugento com relação às suas roupas."
Evite colocar uma aura negativa num fato neutro da vida. Não há nada de errado no fato de seu filho querer vestir algo de que realmente gosta.
☺ "Fico feliz por meu filho ter opiniões próprias e por expressá-las."
Respeitar as opiniões da criança irá ajudar vocês dois a trabalharem juntos, como numa equipe.

☹ "É melhor ele tomar jeito. Tanta exigência está me deixando maluco."
Permitir que o comportamento dos filhos controle os sentimentos dos pais é irracional e contraproducente.
☺ "O fato de meu filho ter opinião própria não deve ser motivo para eu me preocupar. Devo, sim, orientar sua independência."
Permitir que seu filho tome decisões dentro de limites estabelecidos é uma forma de validar as opiniões dele. Dar à criança um controle limitado demonstra que ela pode tomar decisões e, ao mesmo tempo, trabalhar em equipe.

☹ "Por que ela não consegue colocar na cabeça que precisa vestir roupas de brincar quando quiser ficar lá fora com os amigos?"
Usar roupas apropriadas não é prioridade para uma criança em idade pré-escolar.
☺ "Minha função é ajudar minha filha a aprender a obedecer às regras."
Conhecer as regras reduz a ansiedade da criança. Ela só fica insegura porque sente medo de não saber como agir ou se comportar.

Não deprecie. Não diga: **"Não, você não pode usar isto. Está maluca?"**

Dar a entender que a criança tem um problema mental não vai motivá-la a obedecer, e sim montar o cenário para uma auto-imagem negativa. Essa atitude também estimula a criança a julgar os outros e usar palavras cruéis para descrever as atitudes que deseja criticar.

Relembre a regra: **"O que a regra diz sobre a roupa que você deve usar para ir à aula de natação?"**

Relembrar a regra é uma maneira de reforçá-la na mente da criança e transferir para ela o controle da situação. Assim, você se torna um auxiliar de seus filhos no cumprimento da regra e não um adversário.

Não implore. Não diga: **"Por que você não pode ser uma boa menina e mudar de roupa?"**

Implorar para que sua filha seja uma "boa menina" leva você a cometer dois erros cruciais: dá a entender que há algo errado com ela porque não quer trocar de roupa e não separa o que ela é da maneira como se comporta. Uma vez que o comportamento de uma pessoa não define quem ela é, evite expressões como "boa menina" ou "menina má". Usar a culpa para motivar a cooperação leva a criança a fazer o que você deseja somente para ter certeza de que ela ainda é amada.

Faça um acordo. Diga: **"Quando você tiver trocado de roupa, então poderá ir lá fora brincar com as outras crianças."**

Esse recurso mostra à criança que ela tem opções e que as escolhas que fizer têm conseqüências. Ela é livre para escolher entre não trocar de roupa (e abrir mão de brincar com os amigos) e fazer o que lhe pedem (e, portanto, conseguir o que deseja). Outra boa opção é deixar por conta do clima a "decisão" de que tipo de roupa usar: "Eu sei que você quer usar short hoje. Será que o tempo está bom?" Essa atitude ensina à criança como monitorar as condições de tempo para fazer escolhas adequadas.

Não ameace. Não diga: **"Se você não trocar de roupa, vou ficar zangado. Você não que me ver zangado, quer?"**

Desafiar a criança a deixar você zangado dá a ela duas desagradáveis opções: ela pode se recusar a obedecer só para ver você explodir (uma empolgante lição sobre causa e efeito) ou pode resolver cooperar por medo.

Reveja a situação. Diga: **"Como amanhã é sábado, você não precisa vestir o uniforme quando acordar. Mas hoje é dia de ir à escola, portanto vista-se para isso."**

Dar à criança algo positivo pelo que esperar pode desviar a atenção dela da insistência em permanecer com as roupas que está usando. Além disso, a regra vai indicar as roupas apropriadas, dando à criança a liberdade de tomar decisões dentro do que foi estabelecido.

OITAVA PARTE

BRINCADEIRAS

Nenhuma orquestra sinfônica jamais tocou uma música que se compare a uma menina de 2 anos rindo com seu cãozinho.

BERN WILLIAMS

CAPÍTULO 43

"Não quero arrumar os meus brinquedos!"

Quando seu filho de 4 anos ignora o seu pedido para arrumar os brinquedos, ele está lhe dizendo que os planos dele são diferentes dos seus. Ele deseja continuar a brincar e a fazer bagunça, enquanto você quer restaurar a ordem onde foi criado o caos. Crianças de 2 e 3 anos precisam de ajuda para saber por onde começar a arrumação, mas as de 4 e 5 anos já conseguem apreender melhor esse conceito e são capazes de cumprir a tarefa por si mesmas – se tiverem sido treinadas.

Dicas úteis

- Estimule os hábitos de limpeza da criança estabelecendo uma regra simples: antes de pegar um outro brinquedo, ela deve guardar aquele com o qual estava brincando.
- Facilite a tarefa de guardar os brinquedos para que a criança se sinta mais inclinada a cumprir a regra. Por exemplo, instale prateleiras baixas e use baús para acondicioná-los.
- Inclua a criança nas rotinas de limpeza da casa para que ela possa aprender observando e fazendo.
- Pense na possibilidade de limitar o número de brinquedos disponíveis para a criança, dividindo-os em quatro grupos, por exemplo, e oferecendo à criança apenas um de cada vez. No final da semana, selecione outro grupo, e assim sucessivamente.

Autoconversação

☹ "Por que esse menino bagunceiro não consegue ser organizado como a irmã?"
Algumas crianças são naturalmente mais organizadas. Para outras, essa habilidade não é prioritária. Mas, com o seu apoio e o seu estímulo, elas podem aprender a valorizá-la. Lide com cada criança de um modo particular e evite comparações entre irmãos, pois isso estimula a rivalidade e o ciúme.
☺ "Só porque meu filho mais velho gosta de limpeza e organização, isso não significa que o mais novo também tenha de gostar."
Compreender que as crianças não são iguais vai ajudá-lo a não esperar que um filho se comporte como o outro.

☹ "Meu filho é bagunceiro, exatamente como o pai."
Não rotule seu filho nem coloque a culpa pela desorganização dele em outra pessoa. Essa atitude o condena a uma vida inteira de desordem, confirma que você não é capaz de lhe ensinar um novo comportamento e prejudica a percepção que ele tem do pai.
☺ "Eu sei que ensinar meu filho a guardar os seus brinquedos vai gerar uma discussão, mas sempre me sinto melhor quando as coisas estão limpas e organizadas."
Enfoque os resultados positivos e não a desordem da criança ou sua falta de cooperação. Essa atitude vai manter vocês dois trabalhando juntos pelo mesmo objetivo.

☹ "Meu filho nunca me ouve quando lhe peço que guarde os brinquedos."
Talvez seu filho não saiba por onde começar ou pode enxergar a tarefa como algo complicado demais. Analise o nível de habilidade dele pedindo, por exemplo, que lhe mostre como guardar os blocos de construção.
☺ "Um pouco de esforço agora pode estabelecer um bom hábito para o resto da vida."

Trabalhar com a criança, elogiar seus esforços e comemorar os resultados são atitudes que valorizam o trabalho em equipe e a cooperação. Mude o seu foco do desafio de curto prazo para o objetivo de longo prazo.

Conversando com seu filho

Não reclame. Não diga: **"Quantas vezes eu preciso lhe dizer para apanhar suas roupas?"**

Ninguém gosta de ficar perto de uma pessoa que reclama o tempo todo. A criança não presta atenção na mensagem e ainda aprende a ser rabugenta para motivar os outros.

Relembre a regra. Diga: **"A regra diz que você só pode pegar outro brinquedo depois de guardar o que está usando."**

Fazer, gentilmente, com que a criança se lembre da regra ensina a ela muito mais do que a cooperação: ensina que a organização e a ordem são importantes. Além disso, quando estabelece regras para estimular a criança a cooperar, você dá a ela uma lição prática de como o mundo funciona. Seguimos regras o tempo todo: obedecemos aos sinais de trânsito, pagamos nossas contas, etc.

Não ameace. Não diga: **"Se você não guardar seus brinquedos, vou jogá-los no lixo."**

E se seu filho resolver testá-lo? Você vai mesmo jogar os brinquedos dele fora?

Faça um jogo. Diga: **"Vamos marcar um tempo no cronômetro e ver se você consegue catar os brinquedos antes que ele toque."**

Usar o cronômetro deixa com o aparelho – e não com você – o controle.

CAPÍTULO 44

"Não quero desligar a televisão!"

Os sons e as imagens fascinantes da televisão têm o poder de seduzir um menino de 3 anos de tal maneira que ele pode ficar fixado na telinha o dia inteiro, se o deixarem. Ele não tem idéia dos motivos pelos quais esse hábito pode se tornar um passatempo perigoso. A responsabilidade de mostrar isso é dos pais. Ofereça a seu filho outras formas de entretenimento, como leitura, jogos e atividades criativas, e estabeleça limites para o tempo passado diante da televisão.

Dicas úteis

- Crie regras sobre quanto tempo e que tipo de programas de televisão são aceitáveis a cada dia. A Academia Americana de Pediatria recomenda que os pais limitem o tempo diante da TV a não mais que uma ou duas horas por dia, selecionando programas de qualidade para crianças a partir de 2 anos.
- Limite o seu próprio tempo diante da TV para que seu filho siga o seu exemplo.
- Assista à televisão com o seu filho para estimulá-lo a ser um espectador ativo. Faça perguntas sobre o conteúdo e, se necessário, explique como os publicitários tentam manipular nossos pensamentos e nossos sentimentos.

Autoconversação

☹ "Meu filho vai ficar gordo e preguiçoso se ficar assistindo à televisão o dia inteiro."
Rótulos machucam. Podem se tornar verdadeiros de tanto serem anunciados e ainda prejudicam a auto-estima dos pequenos.
☺ "Eu compreendo o desejo de meu filho de assistir à televisão, mas minha função é fazer com que ele se interesse por outras atividades."
A sua empatia vai ajudar você a lidar com o problema com respeito e paciência.

☹ "Não sei o que fazer quando meu filho se recusa a desligar a TV."
Esse desânimo faz com que você se sinta esmagado diante do desafio.
☺ "Eu sou capaz de lidar com a resistência dele."
Sua confiança reforça a sua determinação de limitar o tempo quando a criança resistir. É surpreendente observar como podemos ser criativos quando somos positivos.

☹ "Não me importo que meu filho passe horas diante da televisão. Isso não vai prejudicá-lo."
Infelizmente, pesquisas mostram que televisão em excesso pode causar obesidade, afetar a auto-imagem, reduzir a capacidade de atenção e aumentar a agressividade.
☺ "Preciso reforçar as regras sobre a televisão para que meu filho não fique viciado."
A televisão pode criar dependência. É preciso impor limites e oferecer a seu filho alternativas criativas.

Conversando com seu filho

Não deprecie. Não diga: **"O que há de errado com você? Eu disse para desligar a TV. Você é surdo?"**
Se você sabe que seu filho não tem nenhum problema de audição e está apenas ignorando o seu pedido, não faça uma pergunta tão depreciativa.

Ofereça soluções. Diga: "Eu entendo que você não queira desligar a TV, mas você já usou todo o tempo que tinha para hoje. Vamos pensar em outras coisas divertidas para fazer."

Sua compreensão e a ênfase na regra são posturas que ajudarão seu filho a aprender que é importante seguir o que foi estabelecido. Para estimular a cooperação, é bom que a criança saiba que os pais são sensíveis aos desejos dela.

Não ameace. Não diga: "Se não sair da frente da TV agora, vai se arrepender."

Ameaçar punir a criança vai levá-la a evitar você ou a recusar-se a cooperar para testar a sua ameaça.

Faça um acordo. Diga: "Se você desligar a TV, poderá assistir a um de seus programas favoritos mais tarde. Se não desligar agora, seu tempo de TV estará esgotado por hoje."

A regra-batizada-por-vocês, que estimula a criança a fazer por merecer os privilégios que tem, vai ajudar seu filho a aprender a adiar a gratificação.

Não faça intrigas. Não diga: "Quando seu pai chegar, vou contar a ele que você não quis desligar a TV quando eu mandei."

Fazer intrigas com o outro responsável sinaliza que você não é capaz de aplicar as regras, o que prejudica a sua credibilidade. Usar o medo da raiva provocada no outro genitor também vai diminuir a capacidade de empatia de seu filho.

Ofereça opções. Diga: "Quando este programa terminar, vamos inventar um jogo ou uma brincadeira, porque o tempo dedicado à televisão chegou ao fim."

Relembrar a regra permite que a criança tenha um tempo para terminar a atividade. Essa atitude demonstra que vocês dois podem trabalhar juntos para que ambos fiquem satisfeitos.

CAPÍTULO 45

"Não quero brincar sozinho!"

Eis o paradoxo do desenvolvimento de seu filho em idade pré-escolar: embora prefira ficar com você, ele também está tentando separar-se de você e estabelecer a própria identidade. Oferecer segurança e, ao mesmo tempo, apoiar a independência da criança serão de grande valia para que ela aprenda a navegar pelo mundo da mesma maneira que faz o seu maior herói – você!

Dicas úteis

- Compreenda a necessidade de seu filho, comum nessa fase de desenvolvimento, de estar constantemente verificando se você está por perto (veja "Marcos de desenvolvimento", páginas 188-189).
- Deixe a criança brincar ao seu lado enquanto você se ocupa de outras atividades, como falar ao telefone, para que ela possa vê-lo enquanto brinca sozinha.
- Estimule as brincadeiras independentes da criança. Brinquedos interativos são sempre bem-vindos.
- Reserve um tempo para brincar com a criança todos os dias para que ela saiba que terá momentos dedicados exclusivamente a ela.
- Assegure-se de que o lugar onde seu filho brinca seja seguro, confortável e atraente.

Autoconversação

☹ "Será que essa menina não está vendo que eu estou muito ocupada para brincar com ela?"

Uma criança não tem compreensão sobre as outras responsabilidades dos pais e o tempo que elas demandam. Tudo em que ela está pensando é: "Quero minha mãe." Mude o seu tom de exasperado para paciente, solidarizando-se com o desejo da criança de estar com você.

☺ "Eu compreendo o desejo de minha filha de estar ao meu lado, depois de ficar longe de mim o dia inteiro."

A sua empatia com a necessidade da criança de reconectar-se aos pais ajuda você a estar em contato permanente com sua própria necessidade de permanecer conectado. Deixe de lado por alguns minutos as suas outras obrigações, ou descubra maneiras de permitir que a criança ajude você com as suas tarefas.

☹ "Sinto uma culpa enorme quando volto para casa, vejo os pratos empilhados na pia e não posso brincar com minha filha."

A culpa resulta do fato de você dizer a si mesmo que fez algo errado. É uma atitude prejudicial, pois pode levá-lo a exageros na compensação, mimando a criança para conquistar o seu amor.

☺ "Sou capaz de lidar com o fato de mandar minha filha brincar sozinha, mesmo que ela chore."

Algumas vezes, as circunstâncias exigem que você coloque outras coisas à frente dos filhos. Ter força para estabelecer limites vai ajudá-lo a evitar a culpa e a raiva. Lembre-se, somente *você* pode gerar sentimentos de culpa em si mesmo.

☹ "Outros pais conseguem que os filhos brinquem sozinhos. Por que eu não consigo?"

Comparar-se a outros pais é uma atitude perturbadora e destrutiva. Dizer a si mesmo que você não é um bom pai (uma boa mãe) reduz a sua capacidade de resolver o problema. O seu relacionamento com seus filhos é único.

☺ "Minha filha tem suas próprias vontades, e sua resistência não significa que não sou uma boa mãe."

Compreenda que algumas crianças podem ser impetuosamente independentes, não importa como sejam educadas. Quando os seus planos e os de seu filho entrarem em conflito, vocês precisam aprender a ceder e a trabalhar em equipe.

Conversando com seu filho

Não use a culpa. Não diga: **"Quantas vezes preciso lhe dizer que estou muito ocupado?"**

Perguntas do tipo "Quantas vezes...?" levam à culpa e fazem com que a criança se sinta mal consigo mesma. Quando você usa esse tom, ela também não percebe que pode se divertir sozinha. E mais: falar agressivamente ensina seu filho a usar a mesma linguagem.

Faça um acordo. Diga: **"Eu sei que você quer brincar comigo, mas preciso dar um telefonema. Vamos marcar 10 minutos no relógio para você brincar sozinha. Quando tocar o alarme, eu brinco com você."**

Use o cronômetro para ajudar a criança a aprender a brincar sozinha. Quando tiver tempo, pratique o "jogo do cronômetro" para que a criança compreenda como ele funciona.

Não ceda. Não diga: **"Tudo bem, pare de choramingar. Depois eu ponho a roupa na máquina. Agora vou brincar com você."**

Ceder aos lamentos da criança somente a estimula a continuar a usar essa estratégia para conseguir o que deseja.

Faça um acordo. Diga: **"Brinque sozinha até eu terminar de lavar a roupa. Aí poderemos brincar com seu jogo preferido."**

Mais uma vez, a "regra-batizada-por-vocês" é bem empregada.

Não ameace. Não diga: **"Se não parar de chorar por ter de brincar sozinha, vai ficar no quarto o dia inteiro."**

Não puna a criança por ela não ser capaz de divertir-se sozinha. Essa atitude não ensina como atingir esse objetivo e desestimula a criança a expressar seus desejos de maneira adequada.

Ofereça escolhas. Diga: **"Você pode ficar aqui e brincar até que eu tenha terminado de lavar os pratos, ou pode brincar no seu quarto até eu estar livre. Você decide."**

Em vez de punir a criança, ofereça a ela a opção de permanecer ao seu lado enquanto você termina suas obrigações. Essa solução mostra que, cedendo, ela pode conseguir o que deseja.

Não use a raiva. Não diga: **"Você pensa que a única coisa que tenho para fazer é brincar com você?"**

Essa atitude vai minar a capacidade dela de sentir empatia. E sugerir que o desejo dela de estar ao seu lado não é importante para você é uma mensagem prejudicial e rude.

Agradeça. Diga: **"Estou tão feliz por você querer brincar comigo! Eu também quero brincar com você. Assim que eu terminar meu trabalho, ficaremos juntos."**

Agradecer à criança pelo desejo dela é uma ótima demonstração da importância que ela tem em sua vida. Além disso, gratificá-la com algumas horas de seu tempo pode reforçar a habilidade dela de brincar sozinha.

CAPÍTULO 46

"Não vou parar de brincar com meu videogame!"

Se você adora brincar no computador, é provável que seus filhos pequenos sintam o mesmo. Ainda que passar horas diante do computador possa ser essencial para o seu trabalho (ou talvez uma de suas distrações prediletas), a função de seu filho de 5 anos é brincar com outras crianças, exercitar o corpo e estimular a mente com os cenários e os sons do mundo real. Ele pode até não valorizar de imediato os hábitos saudáveis que você está tentando ensinar, mas limitar o tempo dedicado aos jogos eletrônicos e a outras atividades sedentárias vai evitar a obesidade infantil e seus muitos efeitos colaterais, como pressão alta, diabetes tipo II e doenças cardíacas.

Dicas úteis

- Use o alarme para sinalizar quando o computador ou o videogame precisam ser desligados.
- Ofereça uma variedade de itens atraentes (revistas em quadrinhos, roupas de bonecas, canetas, lápis de cor, papel, livros de colorir, material de arte, etc.) para estimular a imaginação e a criatividade da criança.
- Analise o conteúdo de todos os jogos eletrônicos antes de permitir que a criança os utilize. Assegure-se de que não há neles violência ou mensagens negativas.
- Limite o seu próprio uso dos jogos eletrônicos quando o seu filho em idade pré-escolar estiver por perto.

Autoconversação

☹ "Por que ele não faz o que eu peço? Ele nunca me obedece."
Não interprete a recusa de seu filho em parar de brincar com videogames como algo pessoal. Ele não o está rejeitando; simplesmente deseja continuar a se divertir.

☺ "Sou capaz de permanecer calmo se ele não me atender."
Controlar suas emoções é um exemplo do comportamento que você deseja que seu filho imite enquanto aprende a lidar com as frustrações.

☹ "Não me importo se ele passar o dia todo no computador. Pelo menos ele me deixa em paz, e eu sei onde ele está."
A sua função é encaminhar seu filho para atividades construtivas, que estimulem o desenvolvimento infantil.

☺ "Eu gosto de interagir com meu filho e não quero que ele veja o computador como o seu único amigo."
Interações diárias com você e outras pessoas farão com que seu filho desenvolva habilidades sociais.

Conversando com seu filho

Não use ameaças vagas. Não diga: **"Eu lhe avisei para parar de brincar com o videogame. Se vier aqui de novo, você vai se arrepender."**
Ameaças vagas só fazem estimular a criança a não seguir a regra para testar os limites dos pais. Quando isso acontece, você é forçado a aplicar algum tipo de castigo, ou corre o risco de perder a credibilidade. É um beco sem saída.

Use o relógio. Diga: **"Quando o alarme tocar, será hora de guardar o jogo e achar outra coisa para fazer."**
Respeitar os limites se tornará um hábito saudável que seu filho vai usar em outras situações quando crescer.

Não ameace. Não diga: **"Se você não parar de brincar agora, vai levar uma palmada."**

Essa atitude pode piorar o comportamento não cooperativo: a criança vai continuar brincando enquanto sentir que consegue se safar, e não vai desenvolver a autodisciplina de que necessita para limitar a atividade por conta própria.

Use a suspensão. Diga: **"Sinto muito que você não tenha parado quando o tempo acabou. Agora, o jogo ficará suspenso pelo resto do dia."**

Dizer que você sente muito oferece um exemplo de empatia com a criança. Ela saberá que você compreende como é difícil interromper a diversão. Suspender o jogo por algum tempo ensina que a falta de cooperação resulta em conseqüências negativas.

CAPÍTULO 47

"Não quero brincar sem fazer barulho!"

A chegada de um bebê pode ser uma oportunidade para desenvolver a capacidade inata de empatia da criança. Por exemplo, brincar sem fazer barulho é algo difícil, e você deve dizer a ela que compreende isso, mas explique calmamente que ser gentil com o outro fará com que ela também experimente uma sensação de bem-estar. Ajude-a a aprender que a gentileza é mágica: quanto mais distribuímos, mais recebemos de volta.

Dicas úteis

- Estabeleça regras sobre brincar sem fazer barulho quando o bebê estiver dormindo. Avise à criança com a antecedência de cinco minutos, por exemplo, que você vai colocar o bebê para dormir. A partir daí, começará o tempo de brincar em silêncio.
- Use uma babá eletrônica para saber o que se passa no quarto do bebê enquanto você e seu filho mais velho brincam em outro quarto. Dessa maneira, você não terá de ficar pedindo a ele que fale baixo o tempo todo para ouvir se o bebê está chorando.
- Ajude seu filho maior a entender o que exatamente você quer dizer quando pede que ele fique quieto. Ele pode achar que não tem permissão para falar e nem se mexer! Demonstre o tom de voz que você quer que ele use e peça a ele que evite fazer barulhos repentinos.
- Crianças pequenas são naturalmente barulhentas, por isso esteja preparado para tolerar ruídos e estampidos ocasionais. Feliz-

mente, os bebês são programados para aceitar uma certa quantidade de barulho enquanto dormem.

Autoconversação

☹ "O que há de errado com essa menina? Será que ela não se importa com o bebê?"

Não rotule a criança de ser indiferente só porque ela nem sempre se lembra das regras sobre brincar sem fazer barulho. Os bebês mudam a dinâmica de uma família e adaptar-se a isso exige tempo.

☺ "Minha função é ensinar minha filha a compreender a necessidade de não fazer barulho enquanto o bebê dorme."

Veja a situação como uma oportunidade de ensinar a criança a sentir e manifestar empatia. Estimule-a a ajudar você a cuidar do bebê. Elogie sempre que possível a cooperação dela, reforçando assim o comportamento desejado.

☹ "Não posso tolerar esse barulho. Preciso de silêncio, e o bebê também."

Diga que você *gostaria* que seu filho obedecesse à regra do silêncio, mas que não será o fim do mundo se ele se esquecer de vez em quando. Permitir que a criança cometa erros é uma demonstração de empatia, tolerância, aceitação e amor incondicional.

☺ "Eu posso compreender minha filha quando ela se esquece da regra do silêncio."

Isso evita que a situação se agrave; todos os eventos são neutros, nós é que os rotulamos de positivos ou negativos.

Conversando com seu filho

Não deprecie. Não diga: **"O que há de errado com você? Eu lhe disse para fazer silêncio!"**

Não há nada de errado com seu filho. Ele é uma criança normal, que deseja conversar, cantar, dançar e se fazer notado. A sua função é ensinar a criança a colocar-se no lugar do outro.

Jogue o "jogo do silêncio". Sussurre: **"Agora é a hora do silêncio. Não vamos fazer barulho. Shhh! Está ouvindo o relógio fazer tique-taque? Não é legal percebermos novos sons? Quando o bebê acordar, a hora do silêncio terá terminado. Vamos aproveitá-la enquanto isso?"**

Chame a atenção da criança para o valor da hora do silêncio, motivando-a a desfrutar esse momento. A sua atitude positiva vai estimulá-la a obedecer e a fazer silêncio enquanto vocês estão brincando.

Não use a raiva. Não diga: **"Por que você não consegue ficar quieta como eu lhe pedi? Você está me deixando irritada!"**

Evite perguntas com "por que", pois elas fazem com que a criança se ponha automaticamente na defensiva. Atacar uma criança apenas porque ela quer se divertir é uma atitude que gera animosidade e afasta o desejo de cooperar.

Use o relógio. Diga: **"Daqui a cinco minutos, será a hora de o bebê dormir. Quando o alarme tocar, começa a hora do silêncio. Vamos nos preparar."**

Permitir que a criança saiba de antemão o que vai acontecer dá a ela tempo de se preparar para não fazer barulho.

CAPÍTULO 48

"Não quero emprestar!"

Uma das características mais marcantes das crianças é que cada uma delas se desenvolve num ritmo próprio e muito individual. Algumas compreendem o conceito de emprestar aos 2 anos; outras só adquirem essa habilidade aos 4 ou 5 anos. Tenha como objetivo estimular na criança, em qualquer idade, a capacidade de dividir, e saiba que isso é algo que todas elas precisam ouvir continuamente. Até os adultos, muitas vezes, necessitam ser lembrados da importância do altruísmo!

Dicas úteis

- Estabeleça regras sobre compartilhar. Por exemplo: "Quando você põe um brinquedo no chão, isso significa que qualquer um pode brincar com ele. Se estiver na sua mão, é a sua vez de brincar."
- Chame a atenção da criança para situações em que as pessoas compartilham, para que ela entenda como isso funciona (por exemplo, quando você lhe der um pedaço de seu sanduíche, ou quando permitir que ela use os seus sapatos para brincar de adulto).
- Permita que seu filho guarde alguns de seus brinquedos favoritos antes que os amigos cheguem para brincar.
- Estimule a generosidade de seu filho oferecendo a crianças pobres brinquedos e roupas que ele não usa mais.

Autoconversação

☹ "Se ele não for capaz de dividir os brinquedos, não vai ganhar mais nenhum."

Recusar-se a comprar brinquedos não vai ensinar seu filho a compartilhar. Essa atitude vai estabelecer uma mentalidade pouco saudável de rigidez e punição. Tente chegar a um acordo, em vez de criar regras que impeçam seu filho de conseguir algo que deseja.

☺ "Eu compreendo que é difícil para meu filho abrir mão de seus valiosos pertences, mesmo que seja por alguns instantes."

Seu filho precisa saber que você compreende perfeitamente a dificuldade dele.

☹ "Tudo bem que ele não queira dividir. As outras crianças iam acabar quebrando os brinquedos dele."

Não justifique o egoísmo de seu filho fazendo dele uma vítima do comportamento destrutivo dos outros.

☺ "É importante mostrar como as outras pessoas se sentem quando ele se nega a compartilhar."

Seu objetivo é fazer com que seu filho aprenda a pensar nos sentimentos dos outros e não apenas nos dele.

☹ "Meu filho é um garoto mimado e egoísta que não sabe dividir."

Rótulos culpam a criança por apresentar um comportamento normal em seu desenvolvimento e podem ser incorporados. Se você esperar de seu filho atitudes de um garoto mimado, ele agirá como tal.

☺ "Meu filho está simplesmente fazendo o que toda criança da idade dele faz."

Reconhecer a natureza egocêntrica das crianças dessa faixa etária (de 2 a 4 anos) ajuda você a compreender que é normal elas não quererem emprestar seus pertences.

Conversando com seu filho

Não humilhe. Não diga: **"Você é um menino tão egoísta! Ninguém vai querer brincar com você."**

Prever o isolamento social de seu filho não vai ensiná-lo a compartilhar.

Relembre a regra. Diga: **"Quando o seu amigo estiver com um** brinquedo, você precisa esperar até que ele o coloque no chão antes de pegá-lo para brincar."

Assim seu filho terá a regra em mente e irá relacioná-la à situação imediata. Enfocar aquilo que você deseja que ele aprenda é muito mais eficaz do que enfocar o comportamento negativo.

Não faça perguntas que a criança não pode responder. Não diga: "Por que você não consegue emprestar seus brinquedos?"

Pedir a seu filho essa explicação é como perguntar a um bebê por que ele não consegue engatinhar.

Ofereça apoio. Diga: "Eu sei que algumas vezes é difícil dividir. Vou ficar aqui com você e seu amigo enquanto vocês brincam. Posso ajudar vocês a emprestarem um para o outro."

Como é bom ter um técnico para nos ensinar a fazer algo difícil! Essa abordagem coloca você e seu filho no mesmo time. Supervisionar a brincadeira também dá a você a oportunidade de elogiar quando as crianças compartilharem e evitar que pequenas rusgas se transformem em grandes brigas.

Não implore. Não diga: "Por favor, você poderia emprestar? Faça isso pela mamãe."

Implorar ensina a criança a compartilhar somente para não perder o amor e a aprovação dos pais, e não movida pelo desejo de interagir e brincar bem com os outros.

Use o cronômetro. Diga: "Vou marcar 30 segundos no relógio e o alarme vai tocar. Nessa hora, você deverá passar o brinquedo para seu irmão."

Usar o tempo para aplicar a regra de dividir transfere o controle de você para o aparelho. Essa atitude ajuda você a se concentrar em estimular seu filho a seguir as regras.

NONA PARTE

BOAS MANEIRAS

Guarde bem dentro de si esse tesouro, a gentileza.
Saiba como oferecê-la sem hesitar, como perdê-la
sem pesar, como adquiri-la sem avareza.

GEORGE SAND

CAPÍTULO 49

"Eu vou mudar de canal! Não quero ver isso que meu irmão está assistindo!"

Batalhas por causa do controle remoto podem começar cedo. Como sua filha de 5 anos provavelmente compreende que o poder está associado àquele pequeno aparelho, estabeleça regras sobre os programas de televisão aos quais ela pode ou não assistir – e quando.

Dicas úteis

- Monitore o seu próprio comportamento quando estiver dividindo o controle remoto e outros objetos de entretenimento. Seus filhos aprenderão com o seu exemplo.
- Limite o seu tempo de televisão para não enviar aos seus filhos a mensagem de que assistir à televisão durante muito tempo é legal.

Autoconversação

☹ "Eu tenho vontade de gritar quando meus filhos brigam por causa da TV."

Dizer a si mesmo que sua paciência está se esgotando tolhe a sua capacidade de lidar com a rivalidade entre os irmãos.

☺ "Este é um momento propício para que meus filhos aprendam a se dar bem um com o outro."

Buscar nos conflitos uma oportunidade para ensinar algo a seus filhos vai manter o seu foco em seu papel de educador.

☹ "Por que eles não conseguem dividir suas coisas? Eu nunca deveria ter tido dois filhos."

Não culpe a si mesmo pelas brigas das crianças sobre espaço e objetos.

☺ "Não posso querer que eles se dêem bem o tempo todo."

Brigas ocasionais entre irmãos fazem parte da vida familiar. Quando você aceitar esse fato, poderá reagir com calma ao comportamento das crianças.

☹ "Ela é tão egoísta! Não suporto crianças egoístas."

Chamar a criança de egoísta faz com que esse rótulo se torne parte permanente de sua personalidade. Quer estímulo pior para a cooperação?

☺ "Minha função é ajudar meus filhos a aprender a trabalhar em equipe."

Lições a respeito de cooperação, colaboração e comprometimento vão estimular a capacidade inata de seus filhos de sentir empatia e de compartilhar.

Conversando com seu filho

Não ceda. Não diga: **"Está bem. Mude de canal, se quiser."**

Ceder não ensina a criança a cooperar e a dividir com os outros. Só mostra que ela pode conseguir o que quiser se insistir o bastante. Pior: se um dos filhos estiver competindo pelo tempo diante da televisão, ceder só vai deixar aborrecido o preterido, que vai se sentir injustiçado.

Faça um acordo. Diga: **"Vocês devem dividir o tempo para que cada um veja seus programas prediletos. Caso contrário, vou desligar a TV."**

A regra-batizada-por-vocês, que ensina que o dever vem antes do prazer, vai fazer a criança levar em conta os benefícios de longo prazo de um acordo, estimulando assim sua capacidade de compartilhar.

Não suborne. Não diga: **"Se você compartilhar o controle remoto, vai ganhar um doce."**

Subornar a criança demonstra que ela pode conseguir uma recompensa por não cooperar.

Seja um modelo. Diga: **"Está vendo como a mamãe e o papai dividem a televisão? Cada um tem a sua vez de escolher quando os dois querem assistir a programas diferentes no mesmo horário! Espero que você também saiba dividir quando estiver na casa de um amigo."**

Ao usar palavras e linguagem corporal associadas ao ato de compartilhar (sorrindo, dizendo "por favor" e "obrigado", etc.), você vai estimular a criança a imitar o seu comportamento.

Não dê lição de moral. Não diga: **"Vou explicar a você de uma vez por todas por que devemos dividir a televisão. Agora, preste atenção!"**

A criança não tem ânimo para ouvir lições de moral. Resultado? Em pouco tempo suas idéias voam para longe. Provavelmente, ela já sabe o que a regra diz, mas, como você não fez nada para reforçá-la, a criança acredita que não precisa levá-la a sério.

Mostre as conseqüências. Diga: **"Sinto muito por você ter decidido não dividir o controle remoto. Agora, a televisão terá de ser desligada."**

Demonstre empatia por seu filho enquanto faz valer as conseqüências por ele não ter obedecido à regra. Diga que você sente muito por ele ter feito uma má escolha, mas que se manterá firme em sua decisão. Essa atitude vai aumentar a sua credibilidade e as chances de obter a cooperação da criança na próxima vez.

CAPÍTULO 50

"Não vou dizer 'obrigado'!"

Muitos pais ficam abismados quando um filho de 3 anos se recusa a dizer "obrigado" depois que um amigo lhe dá um presente de aniversário ou a avó lhe oferece um biscoito. Sua função é ensinar boas maneiras; a função de seu filho é praticá-las até que elas se tornem um hábito. Seja um exemplo do comportamento que deseja que a criança adote enquanto ensina a ela a regra sobre falar com as pessoas com amabilidade e respeito.

Dicas úteis

- Ser um exemplo de boas maneiras não apenas mostra a seu filho como elas funcionam, mas reafirma a importância de cada uma delas.
- Estabelecer regras sobre boas maneiras vai instituir linhas positivas de comportamento que seu filho poderá usar quando estiver lidando com os outros.

Autoconversação

☹ "Ele é um menino tão rude! Tenho medo de que ninguém goste dele."
Não rotule seu filho de rude só porque ele ainda não está usando boas maneiras. Continue a estimular o comportamento amável e assegure-se de estar servindo de exemplo.

☺ "Só porque ele se esquece de dizer 'por favor' e 'obrigado', isso não quer dizer que será um adulto rude."
Tenha consciência de que seu filho ainda é uma criança e está na fase

de aprender importantes lições de vida. Mantenha uma atitude positiva em relação ao futuro e não presuma que o comportamento da criança aos 3 anos será o mesmo aos 23.

☹ "Ele nunca vai aprender a dizer 'por favor' e 'obrigado' como as outras crianças."
Comparar seu filho a outras crianças pode ser uma atitude perigosa. Dizer que seu filho *nunca* vai ter boas maneiras e sentir-se constrangido por esse fato são formas improdutivas de lidar com a situação.
☺ "A recusa de meu filho significa que ainda preciso trabalhar isso com ele."
A sua tarefa como pai-professor é ajudar seu filho a aprender boas maneiras. Você precisa descobrir o que se passa naquela cabecinha, quais são os pensamentos e os sentimentos dele. Só assim entenderá sua resistência à boa conduta.

☹ "Quantas vezes terei de pedir a ele que diga 'olá' aos vizinhos? É constrangedor."
Dizer a si mesmo que fica constrangido com a falta de educação da criança só serve para aumentar seu sentimento de culpa. Se seu filho não tem boas maneiras, isso não quer dizer que você é um mau educador. Lembre-se: você só pode *ensinar* essas lições; seu filho é que é responsável por colocá-las em prática.
☺ "Todos são capazes de compreender a dificuldade de ensinar as crianças a dizer 'por favor' e 'obrigado'."
Sua experiência não é única. Ensinar crianças pequenas a adotar um comportamento adequado é um desafio para todos os pais. Lembre sempre a seu filho que ter boas maneiras fará com que amigos e familiares também sejam mais cordiais com ele.

Conversando com seu filho

Não rotule. Não diga: **"Por que você é tão rude?"**
Em primeiro lugar, seu filho pode não ter idéia do que a palavra *rude*

significa. Mas saberá que está sendo atribuída a ele, o que pode levá-lo a acreditar que essa é uma parte imutável da sua personalidade.

Elogie. Diga: **"Foi muito educado de sua parte dizer 'obrigado' ao seu amigo. Tenho certeza de que ele ficou feliz por isso."**

Elogiar quando seu filho demonstrar boas maneiras aumenta as chances de que ele repita o comportamento. Não se esqueça de assinalar quanto as pessoas se sentem agradecidas quando são tratadas bem.

Não use a culpa. Não diga: **"Você me deixou envergonhado quando não disse 'alô' para a dona Maria. O que eu faço com você?"**

Não diga a seu filho que ele o deixa envergonhado. Essa atitude envia a mensagem de que ele é o responsável pela maneira como você se sente.

Pratique. Diga: **"O que devemos dizer quando alguém nos dá alguma coisa? Vamos treinar antes de ir à casa da vovó. Ela sempre lhe dá biscoitos e vai ficar muito feliz quando você disser 'obrigado'."**

Praticar as regras com antecedência ajuda a fixar a informação e aumenta as chances de a criança usá-las na hora certa.

CAPÍTULO 51

"Não vou falar baixo!"

Crianças de 2 anos adoram testar a determinação dos pais quando eles lhes dizem para ficar quietas. Algumas delas até mesmo aproveitam a oportunidade para ver o que acontece se usarem uma voz *mais aaaaltaaaa!!!* Ensine a regra sobre falar baixo antes que seja preciso retirar a criança da igreja, do cinema, da biblioteca, etc. Explique a ela que certo tom de voz é usado para demonstrar respeito pelos outros. Essa lição, oferecida com empatia, faz com que uma situação potencialmente explosiva se transforme num momento propício a um aprendizado, motivando a criança a cooperar pelo fato de importar-se com os sentimentos do próximo.

Dicas úteis

- Use os animais como exemplo para ajudar a criança a se lembrar de quando e onde deve usar diferentes tons de voz. Por exemplo, peça a ela que fale "baixo como um ratinho" no teatro, ou que "ruja como um leão" no futebol.
- Se a criança falar alto habitualmente, leve-a para fazer um teste de audição para ter certeza de que ela não sofre de perda auditiva.
- Antes de levar a criança a qualquer evento que exija o uso de voz baixa, reflita sobre a capacidade dela de compreender e aproveitar esse evento.

Autoconversação

☹ "Eu tenho de forçar minha filha a falar baixo."
Você não pode *forçar* uma criança a fazer nada. Você só pode ensinar a ela as habilidades necessárias e reforçá-las sempre que possível.
☺ "Não há problema no fato de ela não se lembrar de falar em voz baixa quando vamos à igreja. Vamos continuar a ensiná-la."
Ensinar comportamentos positivos demanda tempo. Esteja preparado para insistir nessa tarefa pelo tempo que for necessário.

☹ "Não vou mais sair com essa menina porque ela fala alto demais."
Essa reação exagerada concentra-se no problema e não na solução.
☺ "Só porque ela fala alto, isso não significa que não pode aprender a falar baixo."
Você não pode controlar o comportamento da criança, por isso não se sinta culpado e constrangido quando ela cometer erros ou, ocasionalmente, esquecer-se da regra. Simplesmente lide com a situação com calma e relembre com a criança qual é o comportamento apropriado.

☹ "Se alguém se incomodar com o fato de ela falar alto no cinema, que mude de lugar."
Não transfira para os outros a responsabilidade de lidar com a voz alta de seu filho no cinema ou no restaurante. Essa atitude demonstra desrespeito e impede que a criança aprenda a falar em voz baixa.
☺ "Minha filha pode não ter entendido a regra porque ainda não a praticou o suficiente."
Se você não expôs a criança a lugares silenciosos, leve-a a esses lugares para ajudá-la a compreender quando e por que precisa falar em voz baixa.

Conversando com seu filho

Não humilhe. Não diga: **"Qual é o seu problema? Será que você não tem respeito pelos outros?"**
Sugerir que a criança é insensível não é uma boa abordagem. Tratá-la

com desrespeito fará com que seja mais difícil para ela aprender a respeitar os outros e dará a ela permissão para continuar a comportar-se de maneira egoísta.

Relembre a regra. Diga: **"Sinto muito por você ter se esquecido de que temos de falar em voz baixa na igreja. Na próxima vez, tenho certeza de que você vai se lembrar da regra."**

Demonstrar empatia com a criança diz a ela que você compreende como ela se sente, mas que, mesmo assim, a regra deve ser respeitada. Relembrar a regra ajuda a criança a aprender a lição sem se sentir depreciada. *Ela* é boa, o seu *comportamento* é que é inadequado.

Não ameace. Não diga: **"Se você não falar baixo, vai levar uma palmada! Agora fique quieto!"**

Nunca abuse verbal ou fisicamente de uma criança. Essa atitude é um exemplo de comportamento indesejável e pernicioso.

Pratique. Diga: **"Vamos treinar usando nossa voz baixa durante algum tempo antes de irmos à biblioteca. Você sabe que a biblioteca tem uma regra sobre falar baixo."**

Praticar é uma maneira de ter certeza de que seu filho compreende a regra. Transforme esse treino em momentos agradáveis, sorrindo quando ele usar a voz baixa e dizendo quanto você aprecia essa atitude.

Não suborne. Não diga: **"Eu vou lhe dar um monte de balas se você cochichar em vez de falar alto."**

Subornar a criança não vai ensiná-la a usar boas maneiras por respeito aos outros, mas, sim, de olho na gratificação.

Faça um acordo. Diga: **"Se você seguir a regra da voz baixa, poderemos ficar e usufruir o programa. Caso contrário, teremos de ir embora."**

Use a regra-batizada-por-vocês para mostrar à criança que ela tem escolhas e que essas escolhas levam a conseqüências positivas ou negativas. Deixá-la decidir a ajuda a sentir-se mais dona da situação e mais apta a tomar decisões. Ela também aprenderá que cooperar pode levá-la a fazer o que deseja.

Não deprecie. Não diga: **"Ninguém gosta de gente que fala alto, por isso fique quieta."**

Não diga à criança que as pessoas não vão gostar dela porque ela fala alto. Ela não vai aprender a ter boas maneiras e ainda poderá se sentir rejeitada.

Elogie o comportamento cooperativo. Diga: **"Obrigado por falar em voz baixa. Você está obedecendo à regra muito bem."**

Elogiar a criança por falar em voz baixa não apenas relembra a regra, mas estimula a continuidade do comportamento. As crianças desejam cooperar com aqueles que lhes inspiram respeito e confiança – e que também as respeitam.

CAPÍTULO 52

"Não quero falar com o papai no telefone!"

Essa não é fácil! Você realmente deseja que sua filha de 4 anos fale no telefone com seu ex-marido. Mas é importante colocar-se no lugar da criança quando ela não quer falar: ela pode estar zangada, preocupada ou aborrecida porque os pais vivem em casas separadas. Pode se sentir abandonada, ou não ter certeza do que dizer quando a mãe ou o pai telefonam. Pode ser mais fácil para ela simplesmente não falar. As crianças vêm ao mundo com a capacidade de sentir empatia e é nossa função alimentar e desenvolver essa habilidade. Com o passar do tempo, a criança será capaz de se colocar no lugar dos pais e cooperar com mais eficiência.

Dicas úteis

- Tente telefonar para o seu ex-cônjuge num horário em que a criança esteja mais inclinada a conversar (após uma soneca, depois de uma refeição, de manhã, etc.).
- Converse com a criança sobre a importância da gentileza e do cuidado, para que aprenda a pensar sobre como o comportamento dela afeta os outros.
- Estimule a criança a falar sobre os próprios sentimentos, uma prática que vai alimentar sua empatia natural. Quando brincar de boneca com sua filha, por exemplo, faça com que as bonecas conversem umas com as outras sobre seus sentimentos. Observe o que sua filha "diz" pelas bonecas.

Autoconversação

☹ "Odeio quando minha filha cria um problema entre mim e meu ex-cônjuge."

Não culpe a criança pelos conflitos do casal. O fato de ela não querer falar com o pai se deve à ruptura que houve em sua própria vida. Trabalhe, sim, para que ela se sinta confortável em ambas as casas.

☺ "Preciso ajudar minha filha a compreender como eu me sentiria em relação ao fato de ela não querer falar comigo ao telefone."

Concentre-se em alimentar a empatia da criança, em vez de apenas reprimir o comportamento rude. Isso vai ajudá-la a aprender a pensar nos sentimentos dos outros quando tomar decisões.

☹ "Estou cansado de brigar com ela para que converse com as pessoas ao telefone. Não me importo se ela nunca mais quiser falar com quem quer que seja."

Essa atitude demonstra que você não está interessado em conseguir um acordo e que desistir é uma conduta positiva.

☺ "Eu me importo com os relacionamentos dela e desejo que ela saiba a importância de conversar com os pais ao telefone."

Mantenha uma resposta positiva em mente quando a criança recusar-se a cooperar. A longo prazo, seu objetivo é ajudá-la a desenvolver um comportamento gentil e empático em relação aos outros.

Conversando com seu filho

Não deprecie. Não diga: **"Qual é o seu problema? É grosseiro recusar-se a falar com o papai ao telefone."**

Não sugira que há algo errado com a criança porque ela não quer falar ao telefone. Ela pode estar lhe dizendo que precisa de ajuda para lidar com as próprias emoções, ou pode não estar pronta para conversar naquele momento. Uma resposta raivosa não vai encorajá-la a expressar o que sente.

Demonstre empatia. Diga: **"Eu compreendo que você não queira** conversar com o papai agora. O papai quer muito falar com você e se sente um pouco frustrado quando você não quer falar com ele. Mas ele vai entender e estará esperando até que você esteja pronta."

Estimular a criança a pensar nos sentimentos do outro genitor é uma atitude que fará com que ela reflita sobre como seria estar no lugar dele. Ela também será levada a refletir sobre como as decisões que toma afetam os outros.

Não condicione o amor. Não diga: **"Papai não vai mais gostar de você se você não quiser falar com ele ao telefone."**

Ameaçar com a perda do amor do pai (ou da mãe) mostra à criança que ela só é digna de ser amada quando faz o que os pais querem. Essa é uma mensagem perigosa e nociva. Para ser amada, a criança *não* precisa satisfazer sempre os desejos dos pais.

Seja compreensivo. Diga: **"Conte-me o que você está pensando quando diz que não quer falar com o papai. Ajude-me a entender a sua decisão."**

Pedir que a criança expresse o que sente abre as portas para o diálogo e pode até ser um caminho para a solução. Essa atitude também mostra atenção e empatia.

Não ameace. Não diga: **"Se você não falar com o papai ao telefone, vai passar o resto do dia no quarto."**

Castigos não ensinam nem despertam a empatia com os sentimentos do pai.

Faça um acordo. Diga: **"Quando você tiver acabado de falar ao telefone com o papai, poderá sair para brincar."**

A regra-batizada-por-vocês pode oferecer a motivação que seu filho precisa para falar com o pai, reforçando a importância do dever antes da satisfação do desejo.

Não rotule. Não diga: **"Eu sei que você é tímida, mas precisa falar com o papai quando ele liga."**

Dizer à criança que ela é tímida estabelece que a timidez faz parte da personalidade dela, o que pode perpetuar o comportamento indesejado.

Ofereça apoio. Diga: **"Papai vai ligar hoje. Vamos treinar algumas coisas para dizer a ele, porque ele adora conversar com você ao telefone!"**

O ideal é fazer a criança se sentir confortável numa situação que exige coragem, como falar com o pai ao telefone. Treinar com antecedência deixará a criança mais à vontade com a situação.

Se você tem filhos, reconheça que essa é a vocação mais
importante e o desafio mais gratificante da sua vida.
O que você faz todos os dias, o que você diz e como age são
os fatores que verdadeiramente moldarão o futuro de nosso país.

MARION WRIGHT EDELMAN

APÊNDICE

Aspectos do desenvolvimento

O esquema que se segue descreve alguns aspectos do desenvolvimento de crianças de 1 a 5 anos. Estão apresentados de acordo com a idade na qual costumam acontecer, seguindo uma média. Mas lembre-se sempre de que cada ser humano se desenvolve num ritmo próprio. Estar abaixo ou acima da média não é significativo. Consulte o seu pediatra se achar que seu filho está significativamente atrasado no alcance desses marcos ou se você estiver preocupado com outros aspectos de seu desenvolvimento.

IDADE	ASPECTOS
1-2 ANOS	• EXPLORA O AMBIENTE, INTERESSA-SE PELAS COISAS • TIRA UMA LONGA SONECA POR DIA • BRINCA SOZINHO POR CURTOS PERÍODOS DE TEMPO • EXPLORA O PRÓPRIO CORPO
2-3 ANOS	• CORRE, ESCALA, EMPURRA, PUXA; É MUITO ATIVO • OS JOELHOS PARECEM MAIS JUNTOS E OS TORNOZELOS, MAIS SEPARADOS • ALIMENTA-SE SOZINHO COM OS DEDOS, UMA COLHER OU CANECA • CONSEGUE TIRAR ALGUMAS PEÇAS DE ROUPA • EXPLORA A PRÓPRIA GENITÁLIA • DORME MENOS, ACORDA COM FACILIDADE • GOSTA DE ROTINAS • FICA ABORRECIDO SE A MÃE FICA FORA A NOITE INTEIRA • QUER FAZER AS COISAS SOZINHO • É TEIMOSO E INDECISO; MUDA DE IDÉIA • APRESENTA MUDANÇAS REPENTINAS DE HUMOR • IMITA OS ADULTOS • BRINCA AO LADO, MAS NÃO JUNTO COM CRIANÇAS DA SUA IDADE • AINDA NÃO É CAPAZ DE COMPARTILHAR, ESPERAR, DAR A VEZ, CEDER

IDADE	ASPECTOS
2-3 ANOS	• GOSTA DE BRINCADEIRAS NA ÁGUA • PROLONGA O RITUAL DE BOA-NOITE • USA PALAVRAS ÚNICAS OU FRASES CURTAS • É FREQÜENTEMENTE NEGATIVO; DIZ "NÃO" • COMPREENDE MAIS DO QUE CONSEGUE FALAR
3-4 ANOS	• CORRE, SALTA E ESCALA • ALIMENTA-SE SOZINHO; SABE BEBER DE UMA CANECA • CARREGA COISAS SEM DERRAMAR • CONSEGUE AJUDAR A VESTIR-SE E DESPIR-SE • PODE NÃO DORMIR NA HORA DA SONECA, MAS BRINCA EM SILÊNCIO • REAGE POSITIVAMENTE AOS ADULTOS; DESEJA APROVAÇÃO • É SENSÍVEL A EXPRESSÕES DE DESAPROVAÇÃO • COOPERA; GOSTA DE CUMPRIR PEQUENAS TAREFAS • ESTÁ NA FASE DO "EU TAMBÉM!"; QUER SER INCLUÍDO • É CURIOSO SOBRE OBJETOS E PESSOAS • É IMAGINATIVO; PODE TER MEDO DO ESCURO, DE ANIMAIS • PODE TER UM AMIGO IMAGINÁRIO • PODE SAIR DA CAMA À NOITE • É FALANTE; USA FRASES CURTAS • SABE ESPERAR POR SUA VEZ; TEM UM POUCO DE PACIÊNCIA • CONSEGUE ASSUMIR ALGUMAS RESPONSABILIDADES, COMO GUARDAR OS BRINQUEDOS • BRINCA MUITO BEM SOZINHO, MAS AS BRINCADEIRAS EM GRUPO PODEM SER MAIS COMPLICADAS • É LIGADO AO GENITOR DO SEXO OPOSTO • TEM CIÚME, PRINCIPALMENTE DE UM NOVO BEBÊ • DEMONSTRA SENTIMENTOS DE CULPA • LIBERA A INSEGURANÇA EMOCIONAL CHORAMINGANDO, CHORANDO, PEDINDO DEMONSTRAÇÕES DE QUE É AMADO
4-5 ANOS	• CONTINUA A GANHAR PESO E ALTURA • CONTINUA A GANHAR COORDENAÇÃO • TEM BONS HÁBITOS DE ALIMENTAÇÃO, SONO E ELIMINAÇÃO • É MUITO ATIVO • COMEÇA AS COISAS, MAS NÃO NECESSARIAMENTE AS TERMINA • GOSTA DE DAR ORDENS, É PREPOTENTE • BRINCA COM OUTRAS CRIANÇAS, MAS É INSOLENTE • TEM DISCUSSÕES DE CURTA DURAÇÃO • FALA COM CLAREZA; EXPRESSA-SE BEM • CONTA HISTÓRIAS; EXAGERA • USA PALAVRAS LIGADAS AO BANHEIRO DE MANEIRA TOLA • INVENTA PALAVRAS SEM SENTIDO, COM MUITAS SÍLABAS • DÁ GARGALHADAS E PEQUENAS RISADAS

IDADE	ASPECTOS
4-5 ANOS	• PERDE TEMPO • TOMA BANHO OU SE LAVA QUANDO LHE PEDEM • ESTÁ NA FASE DO "COMO?" E DO "POR QUÊ?" • DEMONSTRA DEPENDÊNCIA DOS COLEGAS

Conheça outros títulos importantes da Editora Sextante

10 princípios básicos para educar seus filhos

De Laurence Steinberg

Nesse livro, Laurence Steinberg, um dos psicólogos mais conceituados dos Estados Unidos, resume e relata, em linguagem simples e acessível, o que os especialistas aprenderam em décadas de pesquisas abrangendo centenas de milhares de famílias. Escrito com sensibilidade de pai e objetividade de pesquisador, esse não é apenas um guia para a criação dos filhos, mas também um poderoso aliado para ajudar você a se tornar mais eficiente, amoroso e confiante.

O que as crianças realmente querem que o dinheiro não compra

De Betsy Taylor

Experiências simples porém prazerosas – como passear no parque, ouvir histórias e brincar ao ar livre com os pais e amigos – são os temas centrais desse livro, que ajuda os pais a entender como o marketing e a publicidade tentam transformar os sonhos infantis em objetos a serem adquiridos nas lojas. Ele apresenta também uma série de conselhos práticos para se combater a cultura do "quanto mais, melhor", resgatando os prazeres simples e reconfortantes da vida.

As crianças aprendem o que vivenciam

De Dorothy Law Noltes e Rachel Harris

Este livro vai ajudá-lo a refletir sobre o exemplo que está dando aos seus filhos. Ele traz ensinamentos fundamentais para que os pais ajudem as crianças a lidar com o medo, a hostilidade e a inveja, assim como a desenvolver a autoconfiança, a coragem, o senso de verdade e justiça, o amor e o respeito pelos outros.

Informações sobre os próximos lançamentos

Para receber informações sobre os lançamentos da EDITORA SEXTANTE, basta cadastrar-se diretamente no site www.sextante.com.br

Para saber mais sobre nossos títulos e autores, e enviar seus comentários sobre este livro, visite o nosso site www.sextante.com.br ou mande um e-mail para atendimento@esextante.com.br

EDITORA SEXTANTE
Rua Voluntários da Pátria, 45 / 1.404 – Botafogo
Rio de Janeiro – RJ – 22270-000 – Brasil
Telefone (21) 2286-9944 - Fax (21) 2286-9244
E-mail: atendimento@esextante.com.br